Gianrico Carofiglio

Il silenzio dell'onda

Rizzoli

ISBN 978-88-17-08925-8

Prima edizione Rizzoli 2011
Prima edizione BUR settembre 2016

Seguici su:

Twitter: @BUR_Rizzoli   www.bur.eu   Facebook: /RizzoliLibri

Il silenzio dell'onda

Uno

Per la terza volta la incrociò davanti al portone del dottore, sempre di lunedì e sempre alla stessa ora. Era certo di averla già vista, prima di quegli incontri, ma non avrebbe saputo dire dove né quando.

Forse era anche lei una paziente e aveva l'appuntamento alle quattro, si disse salendo le scale verso lo studio.

Il campanello suonò, la porta si aprì poco dopo e il dottore lo fece entrare. Come al solito percorsero in silenzio il corridoio, fra gli scaffali pieni di libri, arrivarono nello studio e presero posto. Roberto davanti alla scrivania, l'altro dietro.

«E allora, oggi come va? L'ultima volta era di cattivo umore.»

«Oggi va meglio. Non so per quale motivo, mentre salivo le scale, mi è venuta in mente una vecchia storia dei miei primi anni nei carabinieri.»

«Me la racconti.»

«Dopo la Scuola allievi sottufficiali fui destinato come vicebrigadiere alla stazione di un paesino in provincia di Milano.»

«Era una destinazione normale per una prima nomina?»

«Sì, del tutto normale. Il paese era un posto tranquillo. Anche troppo tranquillo, non succedeva mai niente. Il comandante della stazione – un maresciallo anziano – era un tipo pacifico e tendeva a risolvere le questioni in modo bonario. Credo che nemmeno gli piacesse arrestare la gente e del resto questo accadeva molto di rado. Qualche ladruncolo, qualche piccolo spacciatore al massimo.»

«A lei piaceva?»

«Scusi?»

«A lei piaceva arrestare la gente?»

Roberto esitò un poco.

«Messa così suona male, in effetti. Però, sì. Il vero sbirro – e non tutti i carabinieri, non tutti i poliziotti lo sono – vive per l'arresto. Da un punto di vista professionale, intendo dire. Se fai bene il tuo lavoro, alla fine vuoi vedere il risultato. E il risultato, inutile prendersi in giro, è quello: qualcuno che finisce dietro le sbarre.»

Roberto rimase a pensare a quello che aveva appena detto. Era una cosa scontata, eppure messa in forma di pensiero compiuto, detta ad alta voce, acquistava un significato inatteso e spiacevole. Scosse il capo e si sforzò di tornare alla sua storia.

«Un giorno ero dal barbiere quando sento gridare per strada e subito dopo vedo una donna che scappa trascinandosi dietro un bambino. Mi alzo e mi tolgo di dosso l'asciugamano e il barbiere mi dice allarmatissimo di non fare cazzate. Penso che siamo al Nord e questo mi dice una cosa del genere. Succedono al Sud, queste cose. Poi gli dico che sono un carabiniere, anche se lui lo sa benissimo, esco e raggiungo la donna che stava scappando.»

«Cosa era successo?»

«Stavano facendo una rapina in banca, a un centinaio di metri da lì.»

«Ah.»

«Mi ricordo tutto molto bene. Estrassi la pistola, misi il colpo in canna, abbassai il cane per evitare che potesse partire un colpo accidentale e mi mossi. Arrivato all'angolo, subito prima dell'ingresso della banca, notai una Volvo con il motore acceso, ma nessuno dentro.»

«Era davanti alla banca?»

«No, era dietro l'angolo. A poche decine di metri dall'ingresso ma sulla via laterale. La banca era sul corso. Mi infilai nella macchina, spensi il motore e presi la chiave.»

«Ma perché avevano lasciato l'auto incustodita?»

«I due che erano entrati in banca tardavano e l'autista era andato a dirgli di fare presto. Questo ovviamente lo scoprimmo dopo. Avevo appena superato l'angolo quando li vidi uscire. Cercavo di ricordarmi quello che ci avevano detto alla Scuola, su come comportarci in una situazione così.»

«Cosa vi avevano detto?»

«Di non fare cazzate. Se c'era una rapina dovevamo chiamare rinforzi e osservare la situazione evitando interventi solitari.»

«Il barbiere non aveva torto, allora.»

«Vero.»

«E quindi?»

«In quel momento non me le ricordai, le istruzioni.»

«Erano armati, ovviamente?»

«Due pistole. Quando li vidi uscire intimai l'alt carabinieri. Quello me lo ricordavo perché l'avevo ripetuto tante volte da solo, aspettando che arrivasse la mia prima occasione.»

Roberto pensò che non aveva quasi mai raccontato quella storia ed ebbe la sensazione che un cumulo di memorie si ammassasse dietro *quel* ricordo. Per qualche istante gli parve di essere sopraffatto, e di non riuscire a dire altro. Pensò che non sarebbe stato più capace di raccontare niente, perché non avrebbe saputo scegliere *cosa* raccontare.

«Quindi lei disse alt carabinieri, e poi cosa accadde?»

La voce del dottore rimise in moto il meccanismo che si stava inceppando.

«Nell'informativa i miei superiori scrissero che i rapinatori aprivano il fuoco e il vicebrigadiere Roberto Marías rispondeva con la sua arma di ordinanza. Però io non lo so chi ha sparato per primo. Certo è che qualche secondo dopo uno di loro era a terra, davanti all'ingresso della banca, e gli altri due scappavano. Quello che successe subito dopo è la parte che mi ricordo meglio. Io mi inginocchiai, presi la mira e finii di svuotare il caricatore.»

Roberto raccontò il resto della storia. Un altro rapinatore rimase a terra, colpito alle gambe. Il terzo fu fermato più tardi. Quello colpito davanti alla banca era ferito gravemente ma se la cavò. Qualche giorno dopo la sparatoria Roberto fu convocato dal comandante del nucleo operativo, che gli fece i complimenti, gli disse che certamente sarebbe stato decorato e gli propose di trasferirsi a Milano. Roberto accettò e fu così che a meno di ventitré anni si ritrovò a fare il lavoro per cui era entrato nei carabinieri: l'investigatore.

«Quindi è così che è cominciato tutto?» chiese il dottore.

«È così che è cominciato tutto.»

«E ha detto che questa storia le è tornata in mente mentre saliva le scale per venire qui?»

«È così.»

«E prima pensava a qualcos'altro di cui parlarmi?»

«Sì. Volevo raccontarle un sogno che ho fatto stanotte.»

«Cosa ha sognato?»

«Il surf. Ho sognato di stare sulle onde.»

«Windsurf?»

«No, surf. Surf da onda.»

«È uno sport che ha mai praticato?»

Roberto rimase in silenzio per molti secondi, lo sguardo a inseguire onde remote e silenziose, pensando al profumo aspro dell'oceano ma senza riuscire a rievocarlo.

«Ho fatto surf da ragazzo, fino a quando sono venuto in Italia con mia madre.»

Fece per continuare ma poi o non trovò le parole o non trovò i ricordi, oppure gli mancò il coraggio e rimase in silenzio, evitando di guardare il dottore. Quello lasciò passare un paio di minuti e poi disse che per quel pomeriggio poteva bastare.

«Allora ci vediamo giovedì prossimo.»

Roberto lo fissò aspettando che aggiungesse qualcosa. Sembrava sempre che avesse qualcosa da aggiungere ma non lo faceva mai. Ci vediamo lunedì prossimo. Ci vediamo giovedì prossimo. E basta. Usciva dallo studio con un vago senso di frustrazione al quale però, negli ultimi tempi, si univa anche un principio di sollievo.

***

La vita aveva cominciato ad assumere una parvenza di ordine dopo tanti mesi alla deriva.

Intanto riusciva a dormire. Certo con l'aiuto delle gocce, ma niente in confronto a qualche mese prima, quando doveva stordirsi con roba davvero pesante per piombare in un sonno metallico e mortale.

Aveva ricominciato ad allenarsi un poco, ogni tanto provava a leggere il giornale, non beveva quasi più e aveva ridotto le sigarette a meno di dieci.

E poi c'erano le passeggiate.

Il dottore gli aveva suggerito di camminare a lungo. Tanto a lungo da tornare a casa stanco o, ancora meglio, esausto. Lui aveva manifestato tutto il suo scetticismo, ma si era adeguato, come ci si adegua a una prescrizione medica – e del resto cos'era, se no? – e quasi subito si era reso conto, con stupore, che per un motivo o per l'altro le passeggiate funzionavano.

Si concentrava sui passi, ripetendo mentalmente la sequenza dell'azione. Tallone, punta, spinta, slancio. E di nuovo tallone, punta, spinta, slancio. All'infinito, come un mantra.

Quella inusuale consapevolezza produceva un effetto ipnotico e un drenaggio degli umori cattivi. A volte Roberto camminava anche tre, quattro ore di seguito e sentirsi stanco alla fine sembrava una cosa sana, diversa dallo sfinimento e dalla nebbia dei mesi precedenti.

Non è che non pensasse a nulla, durante quelle passeggiate. Questa, certo, sarebbe stata la cosa migliore. Però il passo rapido e la concentrazione sul movimento impedivano ai pensieri di restare troppo attaccati alla sua testa. Gli venivano in mente delle cose ma subito scivolavano via per lasciare il posto ad altre.

Le giornate e le settimane avevano preso un ritmo. La settimana gravitava attorno ai due appuntamenti con il dottore, lunedì e giovedì. La giornata ruotava attorno al suo camminare interminabile e ipnotico.

Qualche volta un collega o l'altro gli telefonava e lo invitava a prendere un caffè o a mangiare una pizza. All'inizio rifiutava cortesemente, ma quelli insistevano e dopo un po' capì che gli costava meno fatica accettare. Assecondava il comportamento premuroso e circospetto del collega, aspettando il momento in cui avrebbe potuto salutare e andare via. In qualche momento gli capitava di sentirsi come in bilico su un abisso. Ma poi tornava a casa, accendeva lo stereo o il televisore, fino all'ora dei farmaci e del sonno chimico.

Giacomo

Questa notte ho visto mio padre. Detta così non sembra una cosa troppo strana, che uno veda suo padre, anche se di notte.

Il fatto è che lui è morto.

Quattro anni fa è uscito di casa dopo aver litigato con mamma e non è più tornato. Mi hanno detto che era morto solo molto tempo dopo. Avevo sette anni e mezzo.

Questa è stata la prima volta che l'ho sognato da quando è andato via. Nel sogno era sorridente – lui non sorrideva spesso – e non so perché mi ha ricordato quando mi aveva portato allo zoo per il mio settimo compleanno, l'ultimo che abbiamo passato insieme.

Con mio padre ci siamo incontrati su un viale alberato, nel mezzo di un bellissimo parco, pieno di prati e di boschi. Lui è venuto verso di me e mi ha teso la mano, come se stessimo facendo una presentazione. Mi è sembrata una cosa un po' insolita ma quando gli ho stretto la mano mi sono sentito bene e tutto mi è parso perfettamente naturale. Mio padre non ha detto niente ma ho capito che dovevo andare con lui e così ci siamo incamminati lungo il viale.

Dopo qualche minuto (non lo so, a dire il vero, se fosse qualche minuto o molto di più; con i sogni non funziona allo stesso modo di quando sei sveglio) ci siamo imbattuti in un grosso cane pastore tedesco. Era disteso su un lato del viale e dormiva nell'erba. Quando siamo arrivati si è alzato, mi è venuto incontro muovendo la sua grossa coda pelosa, si è fatto accarezzare, e mi ha leccato le mani.

È stata un'esperienza straordinaria, perché io ho paura dei cani e se ne vedo uno per strada – soprattutto se è un pastore tedesco o un altro bestione simile – certo non mi fermo ad accarezzarlo. Mi è piaciuto molto non essere spaventato.

«Come si chiama?» ho chiesto a mio padre. In quel momento mi sono reso conto che lui non c'era più.

Il mio nome è Scott, capo.

La risposta è comparsa nel mio cervello ed era una via di mezzo fra una voce che esisteva solo nella mia testa e una scritta, come quelle dei fumetti.

«Ma tu parli?»

Non è del tutto esatto dire che parlo, capo. Infatti tu non mi senti. La mia voce è questa.

E così dicendo ha abbaiato, producendo un suono molto profondo, quasi un brontolio che aveva però qualcosa di rassicurante. E quel suono l'ho sentito benissimo. Anzi è stato l'unico suono, a parte la mia voce, che ho sentito in tutto il sogno.

«Perché mio padre è andato via?»

A questa domanda Scott non ha risposto.

Facciamo una passeggiata, capo?

Così dicendo si è mosso e io l'ho seguito anche se ero un po' dispiaciuto che papà non ci fosse già più. Ho pensato però che se l'avevo incontrato una volta, magari sarebbe successo di nuovo, e allora avremmo potuto anche parlare.

Per essere un sogno, tutto sembrava molto reale: sentivo il vento fresco sulla pelle, il profumo dell'erba, e la luce del sole, se provavo a guardare in quella direzione, era davvero accecante.

Poi mi è venuta in mente una cosa che avevo dimenticato un sacco di tempo fa. Mio padre una volta disse che mi avrebbe regalato un cane; dovevo solo diventare abbastanza grande per prendermene cura. L'idea mi piacque moltissimo e gli chiesi quando, esattamente, sarei stato abbastanza grande e lui rispose che undici, dodici anni erano l'età giusta, perché è allora che si smette di essere bambini e si comincia a diventare uomini.

Mentre ricordavo questa cosa, mi sono svegliato.

Sono rimasto a letto aspettando che arrivasse mia madre per dirmi che era ora di alzarmi e andare a scuola. Pensavo che sarebbe stato bello avere Scott con me di giorno, portarlo dappertutto e magari farmi anche venire a prendere a scuola. Sono sicuro che certi tizi starebbero molto più attenti a quello che dicono e a quello che fanno, se mi incontrassero con Scott.

Due

Girò l'angolo appena in tempo per vederla uscire, fare qualche metro, aprire un'utilitaria ed entrarvi. Roberto camminò lentamente verso il portone e stava per suonare il citofono quando sentì un rumore sordo provenire dall'auto, come un grattare rabbioso di meccanismi inceppati. Lasciò sospeso per aria il dito con cui avrebbe premuto il pulsante e si avvicinò alla macchina.

La donna continuava a girare la chiave nel quadro, il rumore si ripeteva, ostile e sgradevole. Roberto bussò sul vetro; lei si voltò, guardò verso l'alto, armeggiò con lo sportello e infine lo aprì.

«È la batteria» disse Roberto.

«Scusi?» disse lei col tono di voce leggermente rotto di chi sta perdendo la calma e cerca di controllarsi.

«La batteria della sua macchina è scarica. È per questo che non riesce a metterla in moto, e nemmeno riesce ad abbassare il finestrino.»

«E come faccio, allora? Bisogna sostituirla? Devo scappare, ho un appuntamento. Forse è meglio che chiami un taxi?»

«Non si preoccupi. Possiamo provare ad accenderla a spinta. Altrimenti cerchiamo dei cavi e usiamo la batteria di un'altra macchina.»

Le spiegò come fare. Sedersi, accendere il quadro, schiacciare la frizione e mettere la seconda, mantenere la frizione schiacciata, lasciarsi spingere fino a che la macchina non avesse preso un po' di velocità, a quel punto staccare rapidamente la frizione e pigiare piano sull'acceleratore.

«Non ci riuscirò mai» disse lei.

«Ci riuscirà, è molto più difficile a dirsi che a farsi. Per prima cosa schiacci la frizione e sterzi tutto. Io la spingo fuori dal parcheggio.»

Lo guardò per qualche secondo, leggermente interdetta, ma fece come lui le aveva detto. Quando la macchina fu sulla carreggiata Roberto si avvicinò di nuovo al finestrino e ripeté le istruzioni: «Tenga la frizione schiacciata, accenda il quadro e metta la seconda».

«Ma non può spingermi da solo...»

«Non si preoccupi, è un'auto piccola. Quando glielo dico io, stacchi la frizione e dia gas.»

Poi, senza aspettare la risposta, cominciò a spingere; la macchina si mise faticosamente in movimento.

«Stacchi la frizione e acceleri» gridò lui da dietro quando l'auto ebbe preso velocità.

Il motore sussultò, l'auto andò avanti a scossoni, prese vita con un ruggito rauco, percorse una trentina di metri e poi si fermò, senza spegnersi. Roberto la raggiunse e lei si affacciò dal finestrino.

«Ha visto che ci è riuscita?» disse cercando di controllare un leggero affanno.

«Grazie, lei è stato gentilissimo.» Poi, come avesse dimenticato un dettaglio importante, tirò fuori la destra e gliela porse. Mentre si stringevano la mano lui capì perché la conosceva.

«Ma lei è un'attrice?»

«Sì, cioè...»

«Lei faceva quella pubblicità... quella dei profilattici... era la farmacista. Mi faceva ridere molto. Era... buffa.» Si interruppe, stupito per quello che stava dicendo.

«Mi scusi, forse ho detto una fesseria.»

«Non si scusi. Mi piaceva essere buffa, mi piaceva far ridere. Era un sacco di tempo che nessuno mi ricordava quella cosa.»

Rimasero a guardarsi, senza trovare altro da dire, con il motore che tossiva.

«Be', allora arrivederci» disse alla fine Roberto.

«Arrivederci, grazie ancora.»

«Porti la macchina dall'elettrauto.»

«Lo farò.»

Roberto osservò l'auto allontanarsi, fino a quando girò l'angolo e scomparve. Poi si affrettò verso lo studio.

***

«Scusi, sono un po' in ritardo.»

«Ha l'affanno.»

Roberto fece un mezzo sorriso. «Ho fatto le scale di corsa e prima ho aiutato una ragazza a mettere in moto la macchina. Batteria a terra e così le ho dato una spinta.»

Il dottore non chiese ulteriori spiegazioni.

«Com'è stato il suo fine settimana?»

«Discreto. Diciamo meglio del solito. Sono anche andato al cinema.»

«Ah, bene. Non mi aveva mai detto di essere andato al cinema da quando sono cominciati i nostri incontri, se non ricordo male.»

«Vero. In effetti non mi era capitato. Nemmeno mi ricordo da quanto tempo non ci andavo. Di sicuro da tantissimo.»

«Cosa ha visto?»

«Bah, un film francese, ambientato in un carcere. *Il profeta*. Lo conosce? Lo ha visto?»

«No, ma anch'io non vado spesso al cinema. Le è piaciuto il film?»

«Non so, alcuni aspetti erano realistici, su come certe cose funzionano in carcere. Altri erano del tutto assurdi, ma forse sono troppo influenzato dal lavoro che facevo. Però mi è piaciuto andare al cinema. Voglio dire, era una cosa che proprio mi ero scordato come fosse, e mi è piaciuto farla.»

«Ha trovato compagnia, per il cinema, o ci è andato da solo?»

«No, no. Da solo.»

«Mi aveva incuriosito molto il sogno cui aveva accennato l'altra volta.»

«Il surf?»

«Sì, ha voglia di parlarmene?»

«Del sogno o del surf?»

«Quello che preferisce.»

«Le ho detto che sono nato e cresciuto in California, ricorda?»

«Certo che ricordo. Sua madre era italiana e si è sposata con un americano. Suo padre era un poliziotto.»

«Sì, è così. Mio padre era un detective. Abitavamo vicino all'oceano, in una cittadina fra Los Angeles e San Diego. San Juan Capistrano, si chiama.»

«Immagino che praticare il surf sia una cosa piuttosto normale per chi nasce e cresce da quelle parti.»

Era una cosa normale? Roberto non se lo ricordava – non lo *sapeva* – se fosse così normale. Per molto tempo, quando si andava in mare, lui era il più piccolo del gruppo. Un bambino, fra gli adulti e le onde.

«Non saprei. Io ero molto attirato dalle onde, sin da piccolo. Cominciai a otto anni con mio padre, e andavo a fare surf con lui e i suoi amici. Non c'erano altri bambini.»

«C'è un'azione che ho visto in qualche film, in cui il surfista si infila nel tunnel creato dall'onda che si sta richiudendo. Lei era capace di fare una cosa del genere?»

«Si chiama *tube*. Sì, ero capace di farlo.»

Rimasero in silenzio. Roberto cercava di riordinare le idee, visto che la conversazione aveva preso una piega imprevista. Il dottore aveva quell'espressione che a volte gli si disegnava sul volto, lievemente enigmatica ma cordiale. Un'espressione di attesa. Durò un paio di minuti, poi Roberto riprese a parlare.

«Mi piaceva molto surfare. Anche se non riesco a ricordarmi la sensazione.»

«Cosa vuol dire?»

«È difficile da spiegare, ma non riesco a ricordarmi cosa provavo. *So* che mi piaceva – mi piaceva moltissimo – ma non me lo ricordo. Lo so, ma non me lo ricordo.»

Il dottore annuì. Roberto avrebbe voluto sapere cosa pensava. Avrebbe voluto che il dottore gli fornisse una spiegazione – qualche volta aveva anche provato a chiedergliela – ma proprio in casi come quello, il dottore non gli spiegava un bel niente. Anzi, nemmeno parlava. Annuiva, appunto. Oppure lo guardava negli occhi. O scivolava in avanti sulla sedia. Ma non parlava.

«Quando è stata l'ultima volta che ha fatto surf?»

Non se lo ricordava. Tentò di risalire a quale era stata, quell'ultima volta che era andato sulla tavola, non ci riuscì e fu preso dal panico. Come se tutto rischiasse di andare in pezzi. Come se il confine fra i ricordi, i sogni, la realtà, la fantasia e gli incubi si fosse improvvisamente incrinato e il criterio per distinguere gli uni dagli altri fosse diventato impalpabile, e inutile.

«Non lo so.»

«C'è qualcosa che non va, Roberto?»

Roberto si passò la mano sulla fronte come per asciugarsi il sudore.

«Ho avuto la sensazione di perdere il controllo.»

«Quando le ho chiesto dell'ultima volta che ha fatto surf?»

«Non quando me lo ha chiesto. È stato quando mi sono reso conto che non riuscivo a ricordarmelo.»

«Vuole che lasciamo perdere l'argomento?»

Roberto esitò.

«No, no. Ora va meglio.»

«Bene. Anche se non ricorda qual è stata l'ultima volta che è salito sulla tavola, possiamo dire che è accaduto quando ancora viveva in California?»

«Certamente. Dopo che abbiamo lasciato la California non sono mai più salito su una tavola.»

«Questo significa quanti anni fa?»

«Questo significa... più di trent'anni fa. Ne avevo sedici quando siamo andati via, mia madre e io.»

Il dottore prese un lungo sigaro toscano da un cassetto. Dallo stesso cassetto prese un temperino. Tagliò in due il sigaro, una metà la poggiò sulla scrivania, con l'altra si mise a giocherellare. La scena durò due o tre minuti.

«Va bene. Per oggi può bastare.»

Roberto avrebbe voluto aggiungere qualcosa. Ma la conclusione delle sedute era sempre un momento indecifrabile, per lui. Così, dopo qualche attimo di perplessità, si alzò e andò via.

Giacomo

Per diverse notti non ho sognato nulla, anche se forse questa è una frase sbagliata: ho letto su una rivista di scienza che non esistono notti in cui si dorme e non si sogna. Pare che sogniamo tutte le notti, solo che per varie ragioni, a volte ce lo ricordiamo e altre volte no.

Allora forse è più esatto dire che non mi ricordo cosa ho sognato per diverse notti, anche se almeno in un caso non devo aver fatto sogni molto belli, perché mi sono svegliato con un senso di tristezza che ci ha messo un po' a passarmi.

Ieri notte però sono tornato nel parco. Già quando stavo per addormentarmi ho capito che sarebbe accaduto qualcosa e in effetti poco dopo mi sono ritrovato sullo stesso viale dell'altra volta, nel mezzo del parco.

Scott mi aspettava seduto nel prato. Scodinzolava forte mentre mi avvicinavo e spazzava l'erba con la coda. Accarezzandolo mi sono accorto che profumava di shampoo e che aveva un collare. Non l'avevo notato, o forse proprio non ce l'aveva, la prima volta. In ogni caso, il fatto che Scott avesse un collare mi ha messo allegria, mi ha dato la sensazione che lui fosse davvero mio, non solo un cane socievole incontrato per caso.

Finalmente sei arrivato, capo. Ti stavo aspettando.

«Cosa facciamo adesso, Scott?»

Facciamo un giro.

E senza aspettare la mia risposta si è messo in cammino.

In questa seconda visita sono riuscito a concentrarmi meglio su quello che mi stava attorno.

Come ho già detto, il viale scorreva in mezzo a prati con l'erba piuttosto alta, sulla quale il vento sollevava grandi onde silenziose. In alcuni punti del prato c'erano delle piccole colline, con pendii anche ripidi, simili alle scarpate ai lati delle strade o delle ferrovie. In lontananza si vedeva una foresta che, anche solo a distanza, metteva un po' di paura. Ogni tanto incontravamo altri ragazzi e ragazze; molti a piedi, qualcuno in bicicletta.

A un certo punto ho visto un lago, con un'acqua così limpida che sembrava una piscina.

«Si può fare il bagno in questo laghetto, Scott?»

È lì per questo, capo.

Stavo per chiedergli se potevamo farlo subito il bagno, quando mi sono accorto di una ragazza che ci veniva incontro. L'ho riconosciuta e mi sono sentito mancare il respiro. Era Ginevra.

Ginevra è una mia compagna di scuola. È la più carina della classe, ha gli occhi blu, i capelli biondi e delle bellissime fossette sulle guance quando ride. Ha già avuto dei ragazzi, tutti molto più grandi di noi, che vengono a prenderla a scuola in motorino.

In classe io sono quasi sempre distratto. Leggo libri o fumetti tenendoli sotto il banco, disegno, scrivo storie e pensieri sul diario e, spesso, guardo Ginevra.

«Ciao, Giacomo, finalmente sei arrivato» ha detto lei abbracciandomi e dandomi un bacio.

Se Ginevra mi rivolge la parola, nella vita reale, io divento rosso e balbetto e sembro ancora più goffo e impacciato del solito. Figuriamoci se dovesse abbracciarmi o addirittura darmi un bacio. Nel sogno me la sono cavata meglio, anche se ero emozionato lo stesso.

«È tuo questo cane?»

«Sì, si chiama Scott.»

«Bello. È una delle prime volte che capiti da queste parti, vero?»

«Vuoi... vuoi dire qui, in questo parco?»

«Sì, certo.»

«È la seconda volta.»

«Sono contenta che ci sia anche tu. A scuola non abbiamo mai il tempo di parlare. Allora ci vediamo presto, va bene?» Mi ha dato un altro bacio – questo era più vicino alle labbra e mi ha fatto diventare proprio molto rosso – e se n'è andata.

«Scott, devo farti una domanda importante.»

Dimmi, capo.

«Come faccio a essere sicuro di ritornare qui, le prossime notti?»

Scott si è fermato e mi ha guardato ma non lo so se ha risposto alla mia domanda, perché mi sono ritrovato nel mio letto con mamma che mi scuoteva dicendo che era ora di alzarsi e prepararsi per la scuola.

Tre

Il giovedì Roberto arrivò con almeno mezz'ora di anticipo. Se ne rese conto davanti al portone e piuttosto che aspettare lì sotto – o, peggio, nell'anticamera del dottore – decise di farsi un giro. Passeggiando lentamente attorno al mercato coperto di piazza Alessandria, a due passi dallo studio, si accorse di una vecchia fontanella da cui veniva un getto d'acqua sottile ma regolare.

In sé non era una gran scoperta ma in quel momento gli parve una rivelazione. Essersi accorto di quella fontana, dopo mesi che ci passava davanti, gli mise addosso un'incongrua allegria. Si bagnò le mani, si chinò per bere un sorso d'acqua e poi riprese a camminare. La zona era piena di negozi, botteghe, officine, bar e ristoranti. Si fermò davanti a un piccolo negozio di animali e rimase a guardare dei pappagalli, un acquario, dei gattini siamesi.

Tornando verso lo studio si ripromise di continuare l'esplorazione del vicinato nelle settimane successive. Aspettò in sala d'attesa per una decina di minuti. Poi il dottore salutò qualcuno, la porta che dava sull'uscita dello studio si aprì e si richiuse. L'uscita era diversa dall'entrata. Quando è possibile negli studi degli psichiatri funziona in questo modo: da una parte si entra e dall'altra si esce, così i pazienti non si incontrano. Trovarsi nella sala d'attesa di uno psichiatra non è come trovarsi nello studio, per dire, di un ortopedico. Nessuno ha problemi ad ammettere che gli funziona male una caviglia o un ginocchio. Nessuno ha problemi a incontrare un conoscente nell'anticamera del dentista o dell'otorino. Anzi, si fanno due chiacchiere e il tempo passa più rapido.

Praticamente tutti hanno problemi ad ammettere i malfunzionamenti della testa. Se la testa ti funziona male potresti essere *pazzo*. E non hai nessuna voglia di incrociare qualcuno che conosci, quando sei nell'anticamera dello psichiatra, o quando esci dopo la visita, o meglio la seduta.

Salve come va? Io sono un maniaco depressivo con pulsioni suicide e lei? Scusi signore perché mi guarda in quel modo? Ah già sono anche il suo consulente finanziario e lei non è così contento di sapere che i suoi affari sono trattati da un maniaco depressivo con pulsioni suicide eccetera.

Il dottore aprì la porta che dava sull'anticamera, entrò e si fermò, stupito di vedere Roberto.

«È già qui?»

«Sì, sono arrivato con qualche minuto di anticipo.»

«È la prima volta che succede da quando ci vediamo.»

Il tono era stato neutro e non si capiva se il dottore gli avesse fatto una domanda o si fosse limitato a una constatazione.

«Vedo che è di buon umore oggi. Sono contento.»

Come fa a saperlo? Ero qui seduto, ho detto solo due parole mentre mi alzavo e nemmeno ho sorriso.

«Si accomodi. Arrivo fra due minuti.»

I due minuti passarono lentamente. Nella stanza del dottore, sulla parete cui Roberto dava le spalle durante le sedute, c'era un manifesto incorniciato: la foto in bianco e nero di Louis Armstrong che rideva, la tromba in mano, il braccio disteso lungo il corpo. *If you have to ask what jazz is, you'll never know*, c'era scritto sotto e Roberto si chiese se quel manifesto fosse nuovo o fosse stato sempre lì da quando lui andava in quello studio.

«C'è una ragione per cui oggi è arrivato in anticipo?»

«No, non credo. Cioè, magari una ragione c'è e mi sfugge. Immagino ci sia una ragione per tutto.»

«Non è detto. Ci sono anche cose semplicemente casuali.»

Lo disse sorridendo. A Roberto parve quasi un sorriso d'intesa, come se ci fosse qualcos'altro, che non c'era bisogno di aggiungere perché tutti e due lo sapevano già.

«Come sta oggi?»

«Bene» e il suono di quella parola, mentre la pronunciava, gli parve inconsueto. Come se avesse un nuovo significato.

«Insomma, direi meglio. Da parecchie notti dormo

almeno sei ore, ma forse anche di più; negli ultimi due giorni ho fumato solo cinque sigarette in tutto. Continuo a fare le passeggiate e... ah, non glielo avevo detto: ho ripreso ad allenarmi.»

«Be', mi sembra un'ottima notizia. Che tipo di allenamento?»

«Nulla di particolare. Un po' di piegamenti, un po' di pesi.»

Poi, senza sapere perché, chiese al dottore se lui facesse sport.

«Karate, da quando andavo all'università. Ho cominciato perché un tizio mi aveva rotto il naso in un litigio idiota per un tamponamento. Volevo imparare a fare a botte.»

Roberto rimase sorpreso per quella confidenza inattesa.

«E ha imparato?»

«A fare a botte?»

«Sì.»

«Non lo so. Non mi è mai più capitato di litigare con qualcuno. Lei sa fare a botte, immagino.»

Si strinse nelle spalle. Qualche volta le aveva date e qualche volta le aveva prese, da ragazzino. Da carabiniere qualche volta c'erano stati arresti movimentati, qualche volta in caserma c'era stato bisogno di calmare un fermato un po' troppo vivace. E qualche volta era stato necessario convincere qualcuno a dire quello che sapeva senza perdere troppo tempo. Gli venne in mente, nitidissima, la faccia di un ragazzo che avevano trovato con delle bustine di eroina. Diceva di non conoscere il nome di quello che gliel'aveva data e così si era preso qualche ceffone. Forse qualcuno di troppo. A un certo punto si era messo a singhiozzare. Non ho fatto niente di male, ripeteva. Ecco, gli tornò in mente la faccia di quel ragazzo che piangeva e provò una fitta di vergogna, improvvisa e violenta, come per una vigliaccheria insopportabile.

«Prima di proseguire volevo dirle una cosa.»

«Sì?» fece Roberto.

«Lei sta meglio, lo sappiamo tutti e due. Fra poco potremo cominciare a ridurre le dosi dei farmaci. Però non prenda iniziative personali, non sarebbe una buona idea.»

«Ci avevo pensato, in effetti. Di ridurre le dosi, voglio dire. Non si potrebbe...»

«Fra poco. E lei non deve preoccuparsi di diventare dipendente dai farmaci. Non corre questo rischio.»

«Perché?»

«Perché ha paura di diventare dipendente, e questo è il migliore antidoto preventivo.»

Gli spiegò che corrono davvero il rischio di diventare dipendenti di qualcosa – qualsiasi cosa – quelli che sono persuasi di riuscire a controllare la situazione. Che credono di poter smettere quando vogliono, di bere, di fumare, di drogarsi, di giocare d'azzardo.

A Roberto tornò in mente la cocaina. La consistenza fine, il colore – bianco o rosa –, l'odore un po' medicinale. Se la ricordava come se ne avesse avuto un mucchietto proprio lì davanti, sulla scrivania del dottore. Un ricordo come uno schiaffo.

Cercò di scacciarlo via, quel ricordo, e poi annuì. Non avrebbe toccato le dosi delle medicine.

«Adesso ha voglia di raccontarmi cosa successe dopo che la presero al... come si chiama il reparto di cui mi diceva?»

«Nucleo operativo.»

«Che funzioni ha il nucleo operativo?»

«Le stesse della squadra mobile. Significa che si occupa di polizia giudiziaria, di indagini. In una città come Milano è diviso in sezioni. Antirapina, omicidi, criminalità organizzata, indagini sulla pubblica amministrazione. E narcotici.»

«E lei a quale sezione fu assegnato?»

«Feci più o meno un paio d'anni all'antirapina e poi mi passarono alla narcotici.»

«Come mai?»

«C'era più lavoro e c'era bisogno di più personale.»

«C'erano più indagini per droga?»

«Ci sono *sempre* più indagini per droga. Le indagini per droga sono potenzialmente infinite. E però l'idea che si possa sconfiggere il fenomeno con i carabinieri, i giudici e i processi è un'enorme sciocchezza. È come pensare di fermare un'onda piantando un bastoncino nella sabbia. Non lo direi mai in pubblico – nessuno di noi lo direbbe mai – ma l'unico modo per spazzare via tutto il sistema e letteralmente mettere in ginocchio le mafie sarebbe legalizzare le droghe.»

«Ma allora non la pensava così?»

«Vuol dire quando cominciai a fare quel lavoro? Certo che no. Non ho mai pensato che li avremmo arrestati tutti e che avremmo ripulito la società. Ma ero convinto di far parte dell'ingranaggio che avrebbe risolto il problema.»

«E invece?»

«Arrestavamo dieci persone e sequestravamo, per esempio, due chili di cocaina. Dopo settimane o mesi di indagini. Ci sembrava di aver dato una bella botta, ma dal punto di vista del mercato era come se non fosse successo niente. Non *era* successo niente. La droga continuava a girare, gli spacciatori – non quei dieci, ma altri – continuavano a spacciare, i clienti continuavano a tirare, a bucarsi, a fumare.»

Guardò il dottore per cercare un effetto di quelle parole. Non lo trovò – l'espressione era sempre imperturbabile – ma per la prima volta si accorse che il dottore aveva gli occhi del tutto asimmetrici, di forma diversa, uno decisamente più grande dell'altro.

«Il suo lavoro in cosa consisteva, di preciso?»

«All'inizio mi misero in sala intercettazioni ad ascoltare telefonate a base di magliette bianche e nere, pantaloni e giacche, paste alla crema e paste al cioccolato.»

«Prego?»

«Sono alcune delle espressioni convenzionali che gli spacciatori usano per indicare la droga quando parlano fra loro e temono di essere intercettati. Anzi, diciamo che le usavano. Adesso si sono resi conto che non è comunque una buona idea. Mi ricordo una volta due tizi che parlavano in continuazione di carichi di giacche, pantaloni e magliette. Il magistrato ci fece una delega di indagine in cui chiedeva di verificare se i soggetti commerciassero in abiti, se avessero depositi o anche solo se custodissero a casa scatoloni di giacche, magliette e pantaloni. Voleva escludere in anticipo che quelli potessero difendersi dicendo che parlavano davvero di abbigliamento.»

«E ovviamente non c'era nessun deposito di abiti.»

«Ovviamente. Comunque dicevo che i primi mesi furono quasi solo intercettazioni e perquisizioni. Poi cominciai a lavorare per strada, nelle discoteche, nei locali notturni.»

«Cosa vuol dire?»

«Le spiego, ma ci vuole una premessa. Quando facevamo degli arresti e portavamo la gente in caserma, per compilare gli atti prima del trasferimento in carcere, c'era sempre qualche collega che pensava di farsi una giustizia personale e riempiva di botte gli arrestati.»

«Botte così, senza motivo?»

«Praticamente. Anche se loro le avrebbero detto che, siccome noi li arrestavamo e poi i giudici li mettevano fuori, riempirli di botte era il minimo che potessimo fare, per una questione di giustizia, per non dargli l'idea che fosse tutto uno scherzo e che a fare i delinquenti non si rischiava niente.»

«È vera, questa storia dei giudici?»

«Per niente. A me non è mai successo che un arresto fatto bene, cioè senza forzare la mano, finisse con una scarcerazione. La verità è che le botte le danno soprattutto quelli che non sanno fare bene gli investigatori.»

«Ma anche lei...»

«Certo che ne ho date anch'io, in certi casi è inevitabile. È l'idea del pestaggio per il pestaggio che non mi è mai piaciuta. Comunque, quando capitava che dei colleghi si lavorassero gli arrestati io intervenivo per farli smettere, quando potevo. Il pregiudicato lo capisce con chi ha a che fare. Lo capivano che facevo smettere i colleghi solo per farli smettere, non per fare il gioco del poliziotto buono e del poliziotto cattivo. Fu così che in molti cominciarono a fidarsi. Li rivedevo quando uscivano, chiacchieravo con loro, con alcuni diventai proprio amico e, insomma, cominciai a crearmi una rete di confidenti. Con alcuni mi trovavo in discoteche e locali notturni dove potevamo parlare in pace. E in quei posti conoscevo altra gente. Dicevano che ero simpatico e facevo amicizia facilmente. Solo che non feci amicizie normali. Diventai amico di spacciatori, tossici, magnaccia e altri gentiluomini del genere. Ero alla narcotici da un anno e avevo più informatori dei marescialli anziani, che lavoravano lì da dieci anni e più.»

Roberto si rese conto che molte cose le stava ricordando nel momento stesso in cui le raccontava. Anzi: solo per il fatto di avere iniziato a raccontarle. Il tempo passò in fretta, e per la prima volta il dottore si accorse in ritardo che i cinquanta minuti della seduta si erano esauriti.

«Va bene, direi che per oggi abbiamo finito. È stato molto interessante. Continui a prendere disciplinatamente i farmaci e ci vediamo lunedì. Sono contento dei suoi progressi.»

Roberto si alzò e sulla porta, davanti al pianerottolo, come d'abitudine si strinsero la mano. Roberto era già sulle scale quando sentì la voce del dottore che lo chiamava.

«Ah, Roberto...»

«Sì?» disse lui, girandosi verso l'alto appoggiato al corrimano.

«Sta meglio con i capelli e la barba corti. Ha fatto bene a tagliarli. Buona serata.»

La porta si chiuse prima che Roberto trovasse una risposta.

Giacomo

La mattina dopo l'incontro con Ginevra, quando sono entrato in classe l'ho salutata cercando di sorridere, il che di solito non mi riesce molto facile. Lei ha avuto un attimo di sorpresa, ma poi ha risposto al saluto e anche al sorriso, e io mi sono sentito sciogliere le gambe.

Durante le ore di lezione, che ho seguito ancora meno del solito, mi sono chiesto se per caso mi avesse incontrato anche lei, in un sogno. Magari avevamo fatto lo stesso sogno, o magari quel parco esiste veramente ed è un posto dove ci si incontra di notte e dove si diventa amici e succedono delle cose vere.

Quando ci ho ripensato mi sono reso conto che era un'idea assurda ma in quel momento, fantasticando in classe, dopo che Ginevra mi aveva salutato e mi aveva sorriso, tutto mi sembrava naturale e possibile.

***

Dopo qualche notte di sogni confusi e senza senso, sono tornato nel parco. Ci sono arrivato in un modo diverso, questa volta. Ero sotto le coperte, dopo aver letto per dieci minuti *La storia infinita*. Avevo spento la luce e chiuso gli occhi da qualche secondo, quando ho visto Scott passare attraverso la porta e venire a sedersi ai piedi del mio letto.

Devo confessare che questa apparizione mi ha messo un po' paura, anche perché Scott non diceva niente. Stava seduto e si limitava a guardarmi e io mi sono anche chiesto se fosse davvero lui o un altro cane che gli assomigliava molto. Mi sentivo quasi paralizzato: avrei voluto alzarmi o dire qualcosa ma non ci riuscivo. Non so quanto è durato ma a un certo punto Scott è andato verso la finestra.

Andiamo, capo.

Quello che è successo subito dopo non me lo ricordo ma immagino di avere seguito Scott, forse passando attraverso la finestra.

Certo è che mi sono ritrovato di nuovo nel parco a camminare con lui al mio fianco. Evidentemente nel sogno mi ricordavo cosa era successo e come eravamo usciti dalla mia camera, perché non gli ho fatto domande, su questo punto.

«Scott, ricordi che la volta scorsa abbiamo incontrato una ragazza?»

Certo, capo. Decisamente carina, direi.

Mi ha fatto piacere che Scott l'avesse notato, che in qualche modo mi desse la sua approvazione.

«Sì, è la più carina della mia classe. Come posso fare per incontrarla di nuovo? Voglio dire, da queste parti?»

Non preoccuparti, capo. Se l'abbiamo incontrata una volta, allora la incontreremo di nuovo.

In quel momento ho sentito nell'aria un profumo di dolci. Uguale a un altro profumo, di tanti anni fa. Forse avevo tre anni, al massimo quattro. Eravamo tutti insieme, mamma, papà e io. Ho pochissimi ricordi in cui siamo tutti e tre insieme. Camminavamo per strada in un posto che non so dov'è. Il profumo veniva da un venditore ambulante, che aveva un carretto o un camioncino, non lo so. Quello che so è che poco dopo avevo in mano un *waffle* caldo con panna e caramello, la cosa più buona che abbia mai mangiato nella mia vita.

Prima di fare questi sogni non mi ero mai accorto che mio padre mi manca.

Quattro

Il portone si aprì e se la ritrovò davanti.

«Ha portato la macchina dall'elettrauto?» disse sforzandosi di sorridere. Era fuori esercizio.

«Ah, è lei. Sì certo, ce l'ho portata subito e ho dovuto cambiare la batteria. Non sono sicura di averla ringraziata lunedì scorso, per la sua gentilezza. Sono parecchio distratta. Le ho detto grazie?»

«Sì, mi ha detto grazie, certo.»

«Ah bene, questo è già un buon risultato. Sono un'esperta in figuracce.»

«Anch'io penso di aver fatto una brutta figura con lei, l'altra volta.»

«Perché?»

«Mi è venuto naturale dirle che mi ha ricordato quella pubblicità, quella sui... insomma quella. Magari a lei non fa piacere essere riconosciuta proprio per questo motivo e allora...»

«No, no, a me piaceva molto fare la pubblicità.»

Parlava rapidamente ma senza mangiarsi le parole. Come se un fondo di ansia non le consentisse di andare a un ritmo più tranquillo, ma un lungo esercizio le impedisse di danneggiare le parole.

«Perché dice *piaceva*? Non fa più pubblicità?»

Lei scrollò le spalle, come se l'argomento avesse poca importanza.

«Scappo» disse dopo aver lanciato uno sguardo all'orologio. Roberto trattenne l'impulso di dirle che poteva accompagnarla alla macchina, nel caso non ripartisse di nuovo.

«Allora forse ci rivediamo qui.»

Lei lo guardò, incerta su come classificare quella battuta.

«Forse» disse infine accennando un sorriso e stringendosi nelle spalle.

Poi se ne andò verso la macchina e Roberto salì le scale. Solo quando fu davanti alla porta dello studio si rese conto di aver fatto i gradini a due a due.

Non capitava da un sacco di tempo.

Cinque

Roberto si guardò attorno. Louis Armstrong era sempre al suo posto mentre su un'altra parete c'era un dipinto: un porticciolo di pescatori, con le barche tirate in secca, il sole basso, poche figure umane. Era un quadro che comunicava un senso di pace; è *silenzioso*, si disse Roberto.

«Tutto bene?»

«Sì, sì, mi scusi.»

«Si stava guardando attorno.»

«Sì, e pensavo che per mesi non mi sono accorto di quello che c'è in questa stanza. Prima quando entravo in un ambiente registravo immediatamente tutto: l'insieme e i particolari. Facevo vere e proprie fotografie mentali: se ero stato in un posto ero capace di descriverlo, anche nei dettagli. Invece se nelle scorse settimane qualcuno mi avesse chiesto com'è il suo studio sarei stato capace al massimo di dire che c'erano una scrivania, due o tre sedie, un divanetto e alcune librerie alle pareti.»

«E adesso?»

«Adesso comincio ad accorgermi di quello che mi sta

attorno. Fuori e anche dentro. Per esempio fino alla volta scorsa non avevo notato quel manifesto. A meno che non lo abbia appena messo. C'era anche prima, vero?»

Il dottore sorrise, guardando l'immagine di Louis Armstrong.

«C'era, sì. È lì da un paio di anni. Le piace?»

«Sì... la frase è... non so per il jazz, non ne capisco molto ma credo che valga anche per altro... ed è vero, ci sono cose che non capirai mai se hai bisogno di fartele spiegare.»

Per qualche secondo calò il silenzio. Roberto percepì il ticchettio rabbioso di un orologio; lo cercò con lo sguardo ma non riuscì a localizzarlo.

«Dove eravamo rimasti la volta scorsa?» chiese il dottore.

Roberto fece sì col capo, come se fosse stato richiamato all'ordine. Si chiese se il dottore davvero non ricordasse a che punto si erano interrotti il giovedì precedente o, più probabilmente, se volesse solo controllare il suo grado di concentrazione.

«Sì. Ormai la maggior parte del mio lavoro si svolgeva di notte, nelle discoteche e nei locali notturni. A parte alcuni dei miei primi confidenti – pochissimi – nessuno sapeva che facevo il carabiniere. Per la gente che girava in quei posti ero uno dei tanti personaggi che passavano le notti per locali a perder tempo, a rimorchiare o a trattare affari poco puliti.»

«Scusi una domanda forse stupida. Ma il tempo che lei passava in questi posti era considerato orario di lavoro?»

«All'inizio non c'era una distinzione netta. Poi i miei superiori si resero conto che, andando in quei posti, frequentando quell'ambiente, davo lavoro all'ufficio. Acquisivo notizie, recuperavo numeri di telefono, targhe di autovetture, indirizzi. Parlavo con tanta gente e poi tutte le informazioni che raccoglievo servivano per avviare indagini con pedinamenti, osservazioni, intercettazioni e altro. Quando la notizia riguardava l'arrivo di un carico o la presenza dello stupefacente in un posto preciso, procedevamo direttamente all'intervento con perquisizioni, arresti e sequestri. Allora, a poco a poco, i miei superiori cominciarono a darmi sempre più libertà, fino a quando smisi di avere un orario di ufficio, in senso stretto.»

«Lei si limitava a raccogliere queste informazioni o partecipava anche agli arresti e a tutto il resto?»

«All'inizio partecipavo sì, quando era possibile. Capitava che qualcuno mi dicesse che nel tale appartamento, o nel retro del tale negozio c'era la roba. Il posto in cui fare l'intervento non era della persona che mi aveva parlato, e quando uno fa quel mestiere partecipare all'arresto, all'intervento è importante. È una buona parte della... come si può dire?»

«Della gratificazione del lavoro?»

«Sì, appunto. Della gratificazione. Ne abbiamo già parlato, di questa faccenda degli arresti. Man mano che mi inserivo in certi ambienti, però, diventava sconsigliabile che si vedesse in giro la mia faccia assieme ai colleghi. Insomma, col passare del tempo il mio lavoro diventò sempre di più stare in compagnia di spacciatori, magnaccia e trafficanti, e sempre meno ascoltare telefonate, fare perquisizioni, sequestri e arresti.»

«Si è subito sentito a suo agio in questa situazione?»

«Bella domanda. Sì, ero a mio agio e credo che mi piacesse, ma è una cosa che faccio fatica a ricordare.»

«Era *divertente*?»

«Divertente?»

Divertente.

Si era divertito in quel periodo? Sì, probabilmente sì, anche se non lo avrebbe mai ammesso. Però, fosse o meno esatto parlare di *divertimento*, gli piaceva quella vita sregolata, in bilico, con l'autorizzazione a trasgredire quasi tutte le regole del normale lavoro e della normale vita di un normale carabiniere.

Il dottore interruppe i suoi pensieri.

«Questa parola le crea problemi?»

«Forse un poco, sì. Non so bene per quale motivo ma mi ha messo in difficoltà.»

«Va bene. Continui pure.»

E magari potresti spiegarmi per quale motivo mi sento a disagio. Cioè, io credo di immaginarlo, ma tu potresti spiegarmelo, potresti non lasciare sempre le cose in sospeso, così mi farei un'idea più precisa di quello che mi succede qua dentro. Si diede un colpetto sulla tempia. Come a sottolineare il senso di una frase che non aveva pronunciato.

«Come stavo dicendo, mi ero ormai inserito in quel mondo e mi ero fatto una buona reputazione da balordo.»

«Perché?»

«Quando capitava l'argomento di come uno si guadagnava da vivere dicevo di essere nel ramo delle spedizioni internazionali. Senza precisare di cosa fossero, queste spedizioni. In qualche caso però mi lasciavo un po' andare. Senza mai essere esplicito alludevo al Sud America, alla Colombia, al Venezuela. Alla vita lussuosa che facevo quando andavo all'estero, da certi miei amici importanti. Insomma, roba del genere. Spesso poi mi presentavo in quei posti con macchine di lusso che io e altri colleghi ci facevamo prestare da concessionari nostri amici. E questo, naturalmente, faceva colpo. Poi c'erano le lingue. Le avevo detto che oltre all'inglese parlo lo spagnolo?»

«No. Come mai lo parla?»

«In California è normale, soprattutto vicino al confine con il Messico. E poi lo spagnolo era la lingua della famiglia di mio padre. I suoi genitori – i miei nonni – erano messicani. Furono loro a emigrare negli Stati Uniti.»

«Ah, certo, giusto. Anche il suo cognome è ispanico.»

«Una sera, una notte anzi, ero in uno di quei locali, seduto al banco con una ragazza che faceva la prostituta e agganciava i clienti facendosi offrire da bere. Era una di quelle con cui avevo fatto amicizia e stavamo bevendo qualcosa – per lei era una serata fiacca –, quando arriva questo tizio che sembrava uscito da un film di gangster.»

«Perché?»

«Abito scuro, camicia scura, cravatta scura, basettoni, accendino d'oro da mezzo chilo, orologio d'oro da un chilo. Sembrava una caricatura. Con lui c'erano due scimmioni che gli facevano da guardaspalle. Caricature anche loro. Comunque quello mi disse che doveva parlarmi. Da solo. La ragazza – Agnese si chiamava, me la ricordo bene – era una che sapeva come comportarsi e prima ancora che lui finisse di parlare si era già dileguata. Allora con il tizio ci sedemmo al tavolino di un privé – i due gorilla si tennero a distanza – e quello ordinò una bottiglia di champagne da trecentomila lire per impressionarmi. Un pagliaccio.»

«Cosa voleva da lei?»

«Mi chiese come mai parlassi così bene lo spagnolo. Qualcuno mi aveva sentito chiacchierare con una ragazza venezuelana che lavorava in quel locale e glielo aveva riferito. Io feci una vaga allusione al Sud America e ad affari che richiedevano la conoscenza dello spagnolo. Lui mi guardò con aria astuta, come se gli avessi detto esattamente quello che si aspettava di sentire. Si stava congratulando con se stesso per il suo intuito. "E che affari hai in Sud America?" mi chiese con l'aria di chi sa già anche quella risposta. "Affari in cui la prima regola è che bisogna sapersi fare i cazzi propri" risposi sorridendogli e guardandolo negli occhi.»

***

«Non ti incazzare» aveva detto il tizio. Non voleva mancargli di rispetto, voleva solo vedere se c'era la possibilità di lavorare insieme.

Era venuto fuori che il tizio si guadagnava da vivere gestendo un giro di ragazze, prestando soldi e trattando occasionalmente partite di cocaina da destinare alla stessa clientela delle ragazze. Adesso gli era capitata l'occasione di fare il salto di qualità. Qualcuno gli aveva proposto di entrare in una spedizione di cocaina colombiana. Aveva accettato subito e subito dopo si era reso conto che l'affare era molto più grosso di lui, la gente coinvolta molto più pericolosa di quella con cui trattava d'abitudine, e aveva cominciato a farsela sotto. Far massacrare di botte un disgraziato che non pagava puntualmente gli interessi rientrava nel suo ambito di competenza. Gestire le ragazze, con le buone quando si poteva, con le cattive quando era indispensabile, rientrava nel suo ambito di competenza. Erano cose che sapeva fare bene, da professionista.

Ma nel giro grosso – e quello con cui era entrato in contatto lo era davvero, come Roberto capì molto in fretta – non sapeva come comportarsi. Anche se non voleva farsi sfuggire quell'occasione.

Si era guardato attorno, si era lambiccato il cervello e alla fine gli era venuto in mente quel ragazzone dall'aria decisa che si vedeva in giro quasi ogni sera, che sembrava conoscere tutti e che dava l'idea di sapere come muoversi in certe situazioni.

«Da me cosa vorresti esattamente?» gli aveva chiesto Roberto per guadagnare tempo. Cercava di mettere a fuoco la situazione mentre si sentiva come uno che va a pesca di spigole e poi si ritrova attaccato all'amo un tonno da venti chili. E vuole prenderlo, quel tonno. Cazzo se vuole prenderlo, ma teme di dare degli strappi che potrebbero spezzare la lenza. E allora si muove con circospezione. Molta circospezione.

«Se ti ho capito bene – e io non mi sbaglio quasi mai sulle persone – tu potresti assistermi in questa operazione. Ci sarà da parlare in spagnolo, ci sarà...»

«Assistermi? Vuoi dire che io dovrei farti da assistente?» lo interruppe Roberto con un sorriso beffardo e una sfumatura di disprezzo nello sguardo. Ci stava prendendo gusto a recitare quella parte. L'altro si affrettò a rimediare.

«No, cioè scusa, non intendevo... volevo dire che potremmo lavorare insieme, come soci.»

«E io che ne so che tu non sei uno sbirro e che questa non è tutta una commedia per incastrarmi?»

«Sbirro? Io? Chiedi in giro di me, qui dentro o in qualsiasi posto a Milano e vedrai se sono uno sbirro. Chiedi di Mario Jaguar e senti cosa ti dicono.»

«Mario Jaguar? Sarebbe il tuo soprannome?» Altro sorriso beffardo.

Quello sudava sulla fronte e sul labbro superiore, forse per l'indignazione. C'è gente a cui sentirsi dare dello sbirro dà veramente fastidio.

«Bene signor Mario Jaguar, se sei così affidabile non avrai problemi a venire in bagno con me e a lasciarti perquisire, vero? Così dopo, forse, potremo parlare di affari.»

«Che cazzo dici?» e la sua voce toccò una nota stridula.

«Dico che non hai in mano nessun certificato con su scritto: "Non sono uno sbirro". Allora prima di continuare questa chiacchierata io voglio essere sicuro che se parlo con te, sto parlando davvero *solo* con te.»

«Che vuol dire?»

«Se sei uno sbirro sei bravo a recitare. Se non sei uno sbirro forse è meglio che non ti metti in cose più grandi di te. Mai sentito parlare di microfoni, registratori e cose del genere?»

«Tu sei pazzo.»

«Ok. Addio allora. Meglio per te non entrare in affari con un pazzo.»

Così dicendo Roberto si alzò dal tavolo e fece per andare via.

«Ehi, aspetta. Che cazzo, hai un brutto carattere. Va bene, andiamo in quel cesso di merda e mi lascio perquisire. Così dopo forse possiamo parlare seriamente.»

A Roberto venne da ridere. Un impulso quasi irresistibile. Dovette darsi un morso così forte da fare sanguinare la parte interna del labbro inferiore per bloccarlo. Mentre entrava nel bagno fu attraversato da qualcosa di simile a un presentimento. Quello che stava succedendo avrebbe cambiato per sempre la sua vita. Fu un attimo, ma per molti anni Roberto avrebbe ripensato a quel momento come al vero, paradossale punto di svolta della sua storia.

Mario Jaguar non aveva microfoni o registratori, naturalmente. Solo un portafogli gonfio, assurdamente gonfio di banconote di grosso taglio. Tornarono al tavolo e lui ordinò un'altra bottiglia. Il dj aveva messo *Heal the World* di Michael Jackson, e alcune coppie improbabili ballavano abbracciate in pista.

«Ehi, ci sai fare, eh? Mi hai perquisito come un professionista» disse Jaguar.

«Sei mai stato perquisito?»

«No, ma...»

«E allora che ne sai di come perquisisce un professionista?»

Jaguar rimase con il bicchiere a mezz'aria.

«Cazzo, non sei un tipo facile, eh?»

Roberto lo guardò senza dire niente. Jaguar sostenne lo sguardo per una decina di secondi, svuotò il bicchiere e se lo riempì di nuovo. Poi accese una sigaretta, aspirò, tirò su col naso, poggiò il pacchetto sul tavolo. Roberto prese il pacchetto e ne accese una anche lui. Non ne aveva molta voglia, ma in quel momento gli parve il gesto appropriato per la parte che stava recitando.

«Scusa se non te l'ho offerta. Non mi sembravi un tipo da sigaretta. Comunque adesso posso spiegarti perché ti ho cercato?»

«Va bene, dimmi.»

Glielo spiegò il motivo. C'erano dei colombiani con cui lavorava da tempo e che ogni mese gli facevano arrivare a Milano una decina di ragazze. Erano destinate a clienti abituali cui piaceva cambiare e che potevano spendere. Lui provvedeva a smistare le ragazze in alcuni appartamenti dove lavoravano mattina e sera per qualche settimana. Poi ripartivano per altre città, in Italia o in Europa.

Un giorno uno dei colombiani gli aveva proposto di entrare in un business di cocaina.

«Un business grosso.»

«Cosa vuol dire grosso?» chiese Roberto.

«C'è un aumento incredibile della produzione in

Colombia e cercano nuovi clienti. Potrebbero fare spedizioni di cinquanta chili alla volta, e il prezzo sarebbe buonissimo. Per questo fatto che ne hanno tanta e devono smerciarla.»

Roberto fece un respiro profondo. Per chi lo guardava poteva significare che stava valutando l'interesse commerciale della notizia. In realtà quel respiro era un modo per controllare l'emozione. Spedizioni di cinquanta chili. E chi li aveva mai visti quantitativi del genere?

«È una cosa che può cambiarti la vita, entrare in un affare così. Io ho i miei ragazzi, la coca la tratto, ma parliamo del mezzo chilo ogni due, tre settimane. La do agli stessi clienti delle troie e in più a qualche amico. Non so come muovermi in una situazione così grossa.»

«Che gli hai detto al colombiano?»

«Gli ho detto che mi interessava ma che dovevo parlare con il mio socio per gli affari di droga.»

«Ma tu un socio in affari di droga non ce l'hai.»

Jaguar sorrise, atteggiando il viso a una espressione di scaltrezza da farsa. Era chiaramente molto soddisfatto di sé.

«Così hai pensato di parlare con me e che io potessi fare il tuo assistente.»

«Ehi, ti ho già chiesto scusa, ho usato la parola sbagliata. Saremmo soci ed è un affare pazzesco. Io ho questo contatto e ho dei soldi da investire. Tu sei quello che può gestire la cosa, anche andando laggiù, incontrando questa gente, organizzando la spedizione. Mettiamoci insieme e spacchiamo tutto.»

«Non la vuoi proprio perdere quest'occasione, eh?»

Jaguar ridacchiò, prima di rispondere.

«Certo che non voglio. Con questi quantitativi facciamo una decina di spedizioni e poi mi compro un'isola nei mari del Sud e non lavoro più per tutta la vita. E tu puoi fare lo stesso.»

Negli anni Roberto avrebbe pensato alla bizzarra e crudele situazione in cui Mario Jaguar si era venuto a cacciare. Del tutto da solo, del tutto di sua iniziativa. Aveva cercato il cappio che lo avrebbe strozzato e ci aveva ficcato dentro la testa bevendo allegramente champagne di seconda categoria a trecentomila lire la bottiglia.

«Hai un documento?»

«Un documento?»

«Sì, una patente, una carta di identità, la tessera del club di Topolino, quello che vuoi.»

«Perché?»

«Perché prima di fare affari con qualcuno, mi piace sapere bene chi è. Tu mi dai il tuo documento, io mi segno le tue generalità, le faccio controllare a qualche amico che ho nei posti giusti e noi ci rivediamo qui, diciamo fra tre giorni, e riprendiamo il discorso. Se sei un ragazzo a posto, non hai nulla da temere. Se non lo sei, basta che fra tre giorni non ti presenti. Naturalmente puoi anche non darmi il documento e in questo caso ci siamo fatti una bevuta e una chiacchierata e amici come prima. Amici si fa per dire.»

Jaguar sospirò. Poi si sollevò pesantemente dalla sedia, tirò fuori il portafogli rigonfio dalla tasca posteriore sinistra e da quel portafogli estrasse una patente rovinata.

«Va bene questa?»

Roberto la prese senza dire niente. La aprì e vide la foto di un ragazzino che non si chiamava ancora Jaguar, non trafficava ancora in puttane e denaro a usura e, insomma, sembrava uno normale. Uno che va all'università o sta cercando un impiego, esce con la ragazza, va a farsi la pizza o al cinema, gioca a pallone con gli amici, si fa una fototessera per la patente nella cabina automatica. E poi la sua vita curva all'improvviso e lui si trasforma in Mario Jaguar, magnaccia, usuraio e aspirante (sfortunato) trafficante internazionale di droga.

Roberto chiamò la cameriera e si fece portare una penna. In realtà ne aveva una con sé – ne aveva *sempre* una con sé – ma non voleva destare nemmeno il minimo sospetto. Perché mai un trafficante internazionale, un professionista del crimine, dovrebbe portare con sé una penna? Una penna serve a uno sbirro per annotare quello che vede e per non dimenticarselo, ma un criminale non ha bisogno, normalmente, di una penna. Se gli occorre se la fa prestare. Appunto.

Dopo aver annotato su un tovagliolino di carta le generalità di Binetti Mario detto Jaguar, Roberto gli restituì la patente.

«Adesso me ne vado. Se è tutto a posto ci rivediamo qui, fra tre giorni a quest'ora. Se non è tutto a posto è meglio per tutti e due che non ci rivediamo, né qui né in nessun altro posto.»

«Ci rivedremo e faremo affari e ti farò diventare ricco. Se hai conoscenze fra gli sbirri ti diranno chi è Mario

Jaguar. Ce ne sono parecchi di loro che ogni tanto si fanno un giro gratuito con qualcuna delle mie ragazze e mi lasciano lavorare in pace.»

Roberto dovette trattenersi dal chiedergli chi fossero questi sbirri. Una cosa alla volta, si disse scandendo mentalmente le parole. Prima di tutto la droga a quintali, poi, se possibile, anche i colleghi corrotti.

Si alzò e se ne andò. E mentre varcava la soglia del night pensava che quello che gli era successo era incredibile, e che doveva sforzarsi di non correre, quando ancora qualcuno poteva vederlo. Correre in modo scomposto per scaricare l'eccitazione non è un comportamento da trafficante internazionale, criminale di alto livello. Quello che lui stava per diventare e che sarebbe stato per più di dieci anni.

**

Il dottore guardò l'orologio.

«Confesso che stavolta sono io a fare uno sforzo per rispettare l'orario.»

Roberto non lo sapeva dove stava andando con quei racconti. Però aveva l'impressione di aver imboccato una direzione.

Uscì dal palazzo, si incamminò verso casa, si accorse di una pizzeria – una di quelle storiche – dove certamente, parecchi anni prima, era stato più di una volta. Pizza buona, fritti ottimi e pesantissimi.

Inequivocabilmente era sempre stata lì, inclusi gli ultimi sette mesi.

Sei

Ricordare e pensare a volte non sono attività be-
nefiche.

Il dottore glielo aveva detto spesso. Non bisogna lasciarsi intrappolare dai pensieri o dai ricordi. Quando
arrivano bisogna osservarli con distacco e lasciarli scivolare via.

I pensieri restano con noi solo se li tratteniamo,
diceva. Per spiegarsi gli aveva parlato di una trappola
adoperata in una regione dell'India per catturare certe
scimmie. La trappola ha un funzionamento semplice e
micidiale. È una specie di nassa con un'apertura stretta
e del cibo all'interno. Il diametro dell'apertura consen-
te alla scimmia di infilare la mano, ma le impedisce di
tirarla fuori chiusa a pugno. Così, quando la scimmia
afferra il cibo e poi cerca di estrarre la mano, non ci
riesce. Se lasciasse andare il cibo riuscirebbe a liberarsi;
siccome non lo lascia andare, rimane intrappolata.

Una bella storia, pensava Roberto. Suggestiva e
perfetta.

In teoria.

In pratica come si fa a lasciarli andare via, i pensieri, quando quelli sono piantati nella tua testa come chiodi, che più cerchi di tirarli fuori e più ti lacerano l'anima?

Poi però, col tempo, col progredire della terapia e anche grazie ai farmaci il suggerimento aveva cominciato a sembrargli meno impraticabile. Per esempio quando camminava e si concentrava su un passo dopo l'altro, gli pareva che quei grumi adesivi di sofferenza diventassero meno tenaci e per qualche momento addirittura si sciogliessero, e la testa diventasse deliziosamente libera. Succedeva quello che aveva detto il dottore e i pensieri, quelle entità concrete fatte di ricordi, recriminazioni e sogni sbriciolati, scivolavano via, anche se solo per poco. Bastava, per capire che era possibile.

Rientrò a casa e gli venne in mente che entro due mesi avrebbe dovuto sottoporsi alla visita di controllo. Era la prima volta che pensava a un suo possibile ritorno in servizio.

Era la prima volta da quando un collega lo aveva trovato in ufficio, di notte, con la pistola in bocca a chiedersi se davvero non si sentiva dolore, sparandosi in testa così da vicino. A chiedersi se lo avrebbero trovato con la cacca addosso, come i morti ammazzati che aveva visto lui, o se la paura istintiva e fulminea di morire sarebbe stata meno veloce della pallottola calibro nove Parabellum che gli avrebbe attraversato il cervello e spaccato il cranio.

Era molto calmo e lucido mentre, sentendo il sapore dell'acciaio brunito sulla lingua, si interrogava su come sarebbe stata la scena del suo suicidio.

Ricordava bene la faccia di quel giovane sottufficiale, l'espressione atterrita di uno che vorrebbe uscire di corsa per cercare aiuto ma si rende conto che questa potrebbe essere proprio la mossa sbagliata. Definitivamente sbagliata.

«Collega... spostala quella. Tirala fuori, per piacere.» Disse proprio *per piacere* e Roberto pensò che era interessante. Per piacere, non ti sparare in testa, collega. Fra l'altro sporcheresti tutto l'ufficio, sarebbe un casino, magistrati, giornalisti, inchieste.

Per piacere, togliti quella cosa dalla bocca. Per piacere, ho fatto il carabiniere perché volevo che le cose fossero chiare, con i cattivi da una parte e i buoni – noi – dall'altra. Cose chiare, nitide e prevedibili.

Lo schema non prevedeva di trovare un *collega* in ufficio, alle due di notte, pronto a farsi esplodere il cranio con un colpo di pistola.

Roberto lo guardò con curiosità sincera, avvertendo un senso irreale di calma e di controllo. L'altro aveva una faccia liscia da ragazzo, non dimostrava più di venticinque anni e sembrava stesse per mettersi a piangere.

«Per piacere, tirala fuori e poggiala sul tavolo.» La voce gli tremava.

Roberto si chiese cosa fare. Premere il grilletto o poggiare la pistola? Per alcuni attimi provò un senso totale di onnipotenza, di possibilità infinita. Era il padrone della vita e della morte. Poteva scegliere.

Scegliere.

Tirò fuori la canna dalla bocca e poggiò la pistola sul

tavolo. C'era il colpo in canna e il cane era armato. Sarebbe bastata una pressione leggerissima per produrre l'irreversibile.

«Posso avvicinarmi?» chiese il ragazzo.

«Certo» rispose Roberto con tono un po' stupito. Perché mai non si sarebbe potuto avvicinare? Pensò ancora una volta con parole e frasi compiute.

«Posso prenderla?» disse il ragazzo quando si fu avvicinato.

«Aspetta» rispose Roberto. Prese di nuovo l'arma. Appoggiò delicatamente il cane, disarmandolo. Sganciò il caricatore. Tirò indietro il carrello e fece saltare fuori il colpo che era in canna, pronto ad attraversargli il cervello.

«Adesso puoi prenderla» disse infine. «Bisogna fare attenzione con queste. Non ci vuole niente perché un colpo parta e si finisca in tragedia.» La voce era neutra. Non c'era nessuna sfumatura ironica o sarcastica. Non sembrava – non era – la voce di uno che un minuto prima era in bilico fra la vita e la morte.

Il giovane carabiniere prese la pistola, il caricatore e il proiettile espulso con lo scarrellamento. Poi finalmente uscì a chiamare aiuto. Roberto stava lì, seduto, in attesa.

***

Allora, la mente doveva essere occupata. Così era più facile evitare che diventasse preda dei pensieri.

Cucinare è una buona soluzione, quasi sempre.

Roberto si preparò una frittata, prestando la massima attenzione a tutti gli elementari passaggi della ricetta.

Lasciando che la frittata si raffreddasse, aprì una bottiglia di vino.

Un po' di vino, con moderazione, era compatibile con le medicine. Tutti i foglietti illustrativi ripetevano che l'effetto dei farmaci poteva essere enfatizzato dall'associazione con gli alcolici, ma il dottore diceva che un bicchiere di vino al giorno era ammesso. I superalcolici invece era bene rinviarli alla fine della terapia.

Dopo aver cenato accese la televisione. Un'altra regola era di non vagare fra un canale e l'altro. Bisognava sapersi concentrare, anche solo sulla visione dal principio alla fine di un film o di un programma televisivo. Se non c'era nulla che valesse la pena vedere, meglio spegnere e fare altro. In realtà questa era un'ipotesi sempre più improbabile con la tv satellitare. Se non c'erano film, se non c'erano programmi interessanti, c'era sempre almeno lo sport e soprattutto il basket, l'NBA. Quella sera i Los Angeles Lakers giocavano contro i Minnesota Timberwolves. Un ragazzino cresciuto nel Sud della California, se non detesta il basket, tifa inevitabilmente, almeno un po', per i Lakers. Il basket è perfetto per fare passare il tempo, per riempire lo spazio fra la cena e l'ora in cui il corpo comincia ad accettare l'idea di andare a dormire.

Così trascorsero più di due ore. Le voci familiari e sovreccitate dei conduttori, i cambi di gioco fulminei, le maglie gialloviola e i muscoli neri, le schiacciate, Jack Nicholson a bordo campo come sempre, le pubblicità di Taco Bell, di Subway, della Chrysler. La Kiss Cam che regalava qualche secondo di celebrità planetaria alle coppie che si baciavano.

I Lakers vinsero con venti punti di vantaggio. I Timberwolves non erano esattamente gli avversari più temibili in NBA, però il risultato lo mise lo stesso quasi di buon umore.

Ora di andare a letto. Spazzolare i denti, colluttorio, lavarsi la faccia evitando di guardarsi allo specchio che rimandava i chili e le rughe.

Magari cinque minuti al computer per dare un'occhiata ai quotidiani.

Fu incuriosito dalla notizia di un'operazione internazionale antimafia. Appartenenti alla 'ndrangheta erano stati arrestati in Australia e la cosa – il fatto che i mafiosi calabresi si fossero saldamente insediati dall'altra parte del mondo – veniva raccontata come una scoperta inquietante e nuova.

Ma che la 'ndrangheta fosse arrivata in Australia – così come in tanti altri posti, dappertutto nel mondo – non era ormai risaputo?

Forse per chi faceva il suo mestiere, evidentemente non per i giornalisti e tutti gli altri. E comunque era il suo ex mestiere, si corresse.

Fu in quel momento che si accorse che parlava da solo, con domande e risposte, ad alta voce. Si domandò quando avesse cominciato, ma non trovò una risposta – «non so proprio dirtelo, amico» – e concluse dicendosi che non sembrava una cosa troppo grave, anche se avrebbe potuto parlarne al dottore, la prossima volta.

Quando ebbe finito di scorrere le notizie, non spense il computer. Tornò alla pagina iniziale e digitò il nome di quei profilattici e le parole *pubblicità* e *farmacista*. Il video saltò fuori subito. Lei era visibilmente più giovane, la sua faccia era bella e buffa e lo spot faceva ancora ridere.

Di lì non fu difficile risalire ad altri siti e ad altri video. Roberto scoprì che si chiamava Emma – ripeté il nome un paio di volte e decise che le stava bene – e aveva fatto cinema, televisione, tanta pubblicità.

Si stava chiedendo perché nessuno dei filmati fosse recente, quando si imbatté nella pubblicità di un'acqua minerale. Non l'aveva mai vista prima. Lei faceva il bagno in una piscina di acqua frizzante, piena di bollicine. Era in costume da bagno ed era incinta, con un bel pancione teso su un corpo da ragazza.

Una delle cose che Roberto non riusciva a fare, era guardare la pancia nuda di una donna incinta. Anzi, proprio non gli riusciva di guardare una donna incinta, nuda o vestita che fosse.

Allora spense il computer, prese le sue gocce e andò a letto.

Sette

Quel giovedì Roberto arrivò di nuovo in anticipo e si fece un altro giro di esplorazione dei dintorni. Scoprì che a due passi dallo studio c'era il Museo di arte contemporanea, in un vecchio edificio dove tanti anni prima si produceva la birra.

Quante volte ci era passato davanti? Era un po' più grande di una fontanella eppure anche quello non l'aveva mai notato.

Si disse che un giorno o l'altro doveva entrarci. Poi passò oltre e scoprì un negozietto che vendeva dischi e spartiti usati. Sull'insegna dipinta a mano c'era scritto *King Lizard*. Dietro il banco, un tipo con i capelli grigi, lunghi alle spalle, una giacca di pelle e una camicia a fiori con colli sovradimensionati che poggiavano sui risvolti della giacca. Dimostrava una sessantina d'anni e dava l'idea che la sua evoluzione stilistica si fosse fermata all'inizio degli anni Settanta. Era davanti a un computer, alzò lo sguardo appena il tempo necessario per vedere chi era entrato e poi tornò al suo monitor.

Roberto frugò fra i vecchi cd e i dischi in vinile con

una leggera euforia, come se stesse cercando qualcosa di specifico e fosse sul punto di trovarlo.

Quando finì il suo sopralluogo si disse che non poteva uscire senza comprare niente. Prese *Nevermind* dei Nirvana, e uscendo pensò che il quartiere gli stava diventando familiare. Un pensiero confortevole.

***

«Ha fatto acquisti da *King Lizard*?»

«Ah sì, ho dato un'occhiata e ho trovato questo cd. È musica che ascoltavo ai tempi della storia che le sto raccontando e allora ho pensato di prenderlo. Tipo strano il titolare.»

«È un po' bizzarro, in effetti. Scrive recensioni musicali su riviste specializzate, oltre a vendere dischi usati. Non è proprio espansivo, ma a conoscerlo è simpatico.»

«Anche il nome del negozio è strano. Re Lucertola. Che vuol dire?»

«Era il soprannome di Jim Morrison.»

«Quello dei Doors?»

«Sì. Le piacciono?»

«Non sono un esperto di musica. È dei Doors *Light My Fire*?»

«Sì. Forse conosce anche questa» e così dicendo modulò un fischio perfetto che sembrava prodotto da uno strumento elettronico.

«Il pezzo lo conosco ma il titolo mi sfugge.»

«*People Are Strange.*»

«Fischia benissimo.»

Il dottore scrollò le spalle e accennò un sorriso.

«Che musica le piace, Roberto?»

«Ne capisco poco. Ascoltavo quello che capitava, ma adesso che mi ci fa pensare non sarei capace di dire che musica mi piace. E non ne ascolto da tanto tempo. Nemmeno so spiegarmi perché mi sono comprato questo cd. Sì, ho detto che l'ho preso perché è musica che ascoltavo ai tempi della storia che le sto raccontando, ma se non ne avessimo parlato probabilmente lo avrei portato a casa, lo avrei poggiato da qualche parte e me lo sarei dimenticato.»

«Invece lo ascolterà?»

«Sì, lo ascolterò.»

Il dottore fece un cenno di approvazione col capo, come se con quella risposta fosse stato esaurito nel modo migliore un argomento importante e dunque si potesse passare oltre.

«Come andò a finire la storia del tipo che le aveva proposto il traffico di cocaina con la Colombia?»

«Ci incontrammo nello stesso locale, tre giorni dopo, come d'accordo. Io avevo informato i miei superiori e loro, d'intesa con la Procura, avevano deciso di tentare l'operazione sotto copertura. Allora era ancora una cosa piuttosto rara. Tirammo fuori dai nostri fascicoli tutto quello che si poteva sul signor Mario Binetti in arte Jaguar e quando tornai a incontrarlo, sapevo su di lui più cose di quante ne sapesse lui stesso.»

Roberto si interruppe, seguendo un'idea che gli aveva attraversato la testa.

«Mi ero documentato e mi era piaciuto scoprire ogni

particolare sul soggetto di cui mi sarei dovuto occupare. Studiare le persone e le situazioni era forse la cosa che mi interessava di più. Arrivare perfettamente preparato, sapere tutto dei miei interlocutori.»

«Immagino che il lavoro di un buon investigatore ruoti molto attorno alla individuazione dei punti deboli delle persone.»

«È così. Tutti hanno un punto debole, bisogna solo scoprire qual è. C'era un latitante, un pugliese trapiantato a Milano, che cercavamo da un sacco di tempo. Eravamo sotto pressione, la Procura voleva che lo trovassimo perché erano convinti che una volta catturato avrebbe cominciato a collaborare. Cosa che, per inciso, si rivelò esatta. Eravamo sicuri che fosse in zona ma non riuscivamo a localizzarlo. Niente dai telefoni, niente dai pedinamenti dei familiari. Parlando con un mio confidente saltò fuori che questo tizio aveva la fissazione delle cozze crude.»

«In che senso?»

«Gli piacevano molto. A Milano c'era la pescheria di un suo compaesano – era di un paese vicino Bari – dove aveva l'abitudine di andare a mangiarle prima di passare in latitanza. Il confidente me ne parlò casualmente ma quando sentii questa cosa mi si accese una lampadina in testa. Così, senza dire niente a nessuno, a parte i colleghi della mia squadra, organizzai un servizio di osservazione di quella pescheria. Due giorni dopo lo prendemmo.»

«Dovrei pagarla io, per ascoltare queste storie» disse il dottore sorridendo.

Roberto si strinse nelle spalle, come per sminuire l'impresa. Però l'ammirazione del dottore gli piaceva. Era una cosa nuova, e gli piaceva molto.

***

Lui e Jaguar diventarono amici. Cioè: Jaguar si convinse che fossero diventati amici. Si incontrarono con i colombiani, ragionarono di prezzi e di spedizioni. Roberto disse che poteva garantire passaggi sicuri in un paio di porti, grazie a una società di spedizioni internazionali e alle sue amicizie con alcuni funzionari delle dogane, inclini ad arrotondare lo stipendio. La società di spedizioni internazionali fu creata appositamente e i doganieri corrotti furono interpretati da altri due carabinieri che erano stati associati all'operazione e muniti di documenti di copertura.

Durante una riunione operativa, qualcuno fece notare che Roberto non avrebbe potuto infiltrarsi in quegli ambienti senza avere addosso nemmeno un tatuaggio. Capita che ci siano criminali professionisti non tatuati, ma è un elemento di diversità rispetto alla norma; un elemento che avrebbe potuto attirare l'attenzione di qualcuno. A Roberto l'idea di tatuarsi piaceva poco ma dovette convincersi e, al momento di scegliere cosa farsi incidere addosso, decise per una testa di capo pellerossa sull'avambraccio sinistro e una ragnatela sulla scapola destra.

«Sei sicuro che vuoi la ragnatela? Sai che significa?» gli chiese il tizio – un ricettatore, ex detenuto e titolare di una bottega di tatuaggi e piercing da cui lo aveva accompagnato un collega.

«No, cosa significa?»

«Il ragno è un predatore. In certi ambienti avere un ragno o una ragnatela sulla spalla – sul gomito è diverso – significa che sei uno... che hai versato del sangue e che sei pronto a rifarlo.»

Roberto ci pensò su e poi disse che la ragnatela andava bene. L'altro si strinse nelle spalle.

«E comunque devo fartene un altro.»

«Perché?»

«I tatuaggi devono essere sempre dispari, se no portano male. Se vuoi ti faccio un bell'ACAB sulle nocche.»

ACAB è l'acronimo per *All Cops Are Bastards* – tutti gli sbirri sono bastardi.

Non si capiva se l'altro avesse voluto fare lo spiritoso – sapeva che Roberto era un carabiniere – o se dicesse sul serio.

Roberto ridacchiò, ma si sentiva spiacevolmente invischiato in qualcosa che, già in quel momento, sfuggiva al suo controllo.

«Va bene, fammi ACAB. Non sulle nocche però, trova un altro posto, meno visibile. E non mettermi colori, fai tutto in bianco e nero.»

Fu più doloroso del previsto. Uscirono dal laboratorio – questa era la denominazione scritta sulla piccola insegna – alcune ore dopo.

Roberto aveva un bruciore forte alla spalla, all'avambraccio e alla caviglia, dove spiccava l'acronimo criminale sugli sbirri bastardi. Adesso era pronto a entrare nella sua seconda vita, che ben presto sarebbe diventata la prima.

I colombiani lo apprezzarono molto: era concreto, professionale, simpatico, e parlava un ottimo spagnolo con accento vagamente messicano.

Jaguar investì nell'operazione tutti i suoi risparmi, sognando l'isola dei Tropici che si sarebbe comprato con i proventi della nuova attività.

Però non ci furono isole dei Tropici e nemmeno proventi, per Jaguar, per i suoi uomini e per gli emissari colombiani che erano venuti in Italia a seguire la fase finale dell'operazione e a incassare il corrispettivo pattuito. Dopo sei mesi di trattative, di viaggi, di sopralluoghi, furono tutti arrestati mentre nel porto di Gioia Tauro veniva sequestrata una nave con la stiva imbottita di cocaina per diversi miliardi di lire.

La prima operazione di Roberto come infiltrato. L'inizio, come si dice, di una brillante carriera da agente sotto copertura. Qualche mese dopo gli proposero di passare al ROS, sede centrale di Roma.

Il ROS – Raggruppamento Operativo Speciale – è il reparto dei carabinieri che si occupa di criminalità organizzata e di terrorismo. L'aristocrazia degli investigatori, il massimo cui possa aspirare un giovane sottufficiale cui piace fare lo sbirro. Roberto naturalmente accettò, fu trasferito e poco dopo lo spedirono negli Stati Uniti a seguire un corso dell'FBI per agenti sotto copertura.

Dopo il rientro avrebbe indossato la divisa pochissime altre volte, e solo per ritirare delle onorificenze.

***

«Avevo notato il tatuaggio sull'avambraccio ma non avrei mai immaginato la ragione per cui se l'è fatto.»

«Era un po' difficile da immaginare.»

«Non ha mai pensato di farseli togliere?»

«All'inizio sì. Pensavo che non appena avessi finito di lavorare sotto copertura – davo per scontato che sarebbe stata una cosa provvisoria – me li sarei fatti togliere. Poi il tempo è passato, ho continuato a fare quel lavoro e ai tatuaggi mi ci sono anche affezionato. Persino ad ACAB, che poi in qualche modo è una cosa vera.»

Il dottore non fece commenti e guardò l'orologio.

«Abbiamo finito?» chiese Roberto.

«Abbiamo ancora qualche minuto.»

«Ho l'impressione che tutto si stia muovendo attorno a me.»

«E prima?»

«Prima sembrava tutto fermo.»

«Direi che è una buona notizia.»

Roberto avrebbe voluto chiedere perché era una buona notizia. Però non lo fece e il suo sguardo, invece, vagò per la stanza e andò a posarsi sul manifesto di Armstrong.

Capì perché era meglio non domandare: se una cosa importante hai bisogno che ti venga spiegata, probabilmente non la capirai mai.

Giacomo

Per una settimana sono stato a letto con l'influenza. Non è una cosa che mi dispiace, ammalarmi, perché non vado a scuola e posso leggere quanto voglio, senza preoccuparmi dei compiti.

Leggere è probabilmente la cosa che mi piace di più, e se vengo proprio costretto a rispondere alla domanda su cosa vorrei fare da grande, dico che voglio fare lo scrittore. Anzi, a dire la verità, mi piacerebbe farlo anche prima di diventare grande. Il mio modello è Christopher Paolini: lui ha cominciato a scrivere il suo primo romanzo – *Eragon*, che ho letto due volte – a quindici anni.

Comunque dicevo che sono stato a casa malato. Non mi ricordo cosa ho sognato in questa settimana ma certamente non sono stato nel parco e la cosa mi ha un po' preoccupato.

Al ritorno a scuola però mi aspettava una sorpresa: Ginevra si era accorta della mia assenza. Quando ci siamo incontrati, in classe, prima della prima ora, mi ha detto: «Ah, sei tornato finalmente». Io ho cercato una risposta spiritosa ma non mi è venuto niente di meglio che: «Ho avuto l'influenza, però sono completamente guarito».

Questo mi ha fatto un po' innervosire, ma ero molto contento perché, appunto, lei aveva notato la mia assenza e mi ha anche rivolto la parola per prima. Subito dopo però anche Cantoni mi ha dato il bentornato a suo modo, con uno schiaffo sul collo, da dietro.

Cantoni è un imbecille, è alto un metro e settanta ed è cintura marrone di judo. Mi piacerebbe reagire alle sue prepotenze, ma io sono alto un metro e cinquantacinque e al massimo potrei batterlo a ping pong, dove me la cavo abbastanza.

***

Quella notte sono tornato nel parco. Mi ci sono ritrovato in un modo diverso dalle altre volte. Stavo facendo un sonnellino disteso sull'erba, all'ombra di un albero, quando Scott è venuto a svegliarmi.

Lo so bene che sembra una vera stranezza parlare di un sonnellino fatto durante un sogno, ma è proprio così, e non c'è molto da aggiungere.

Andiamo, capo, ci stanno aspettando.

È partito piuttosto veloce e sono stato costretto a correre per seguirlo.

«Ehi, Scott, aspetta. Vai piano, dove stiamo andando?»

Lui non ha risposto e ha continuato a trottare.

«Chi è che ci sta aspettando?»

Ancora nessuna risposta. Stavo cominciando a irritarmi e ho accelerato per raggiungere Scott, fermarlo e costringerlo a rispondermi – in fondo ero o non ero il capo? – quando ho visto una panchina in mezzo al prato. Su quella panchina era seduta Ginevra. Scott si è fermato a una ventina di metri e si è disteso sull'erba.

Vai capo, ti sta aspettando.

Mi sono avvicinato alla panchina e Ginevra mi ha fatto cenno di sedermi accanto a lei.

«Quel Cantoni è un vero idiota» ha detto lei.

«Non è un problema» ho detto io come a intendere che, se volessi, potrei reagire e annientare Cantoni e che non lo faccio solo perché sono contrario alla violenza.

«Tu lo sai che ho un ragazzo, vero?»

Ho fatto sì col capo.

«Tu ce l'hai una ragazza?»

«Bah, ne ho avute diverse ma in questo periodo preferisco stare da solo» ho mentito con tono di noncuranza.

«Sì, anch'io non credo che ci starò ancora per molto, con il mio ragazzo. C'è un altro che mi piace molto di più» ha detto guardandomi diritto negli occhi. Ho deglutito a fatica e non ho trovato una sola parola per rispondere.

«Tu hai qualcuna che ti piace?»

«Be', sì, una che mi piace un po' c'è...»

«È carina?»

Ho pensato che dovevo smetterla subito di fare lo stupido e dirle la verità, che ero innamorato di lei e che non dovevamo perdere un minuto di più.

Quando mamma mi ha svegliato, ha detto che nel sonno ripetevo questa frase: non dobbiamo perdere un minuto di più.

Mi ha chiesto cosa volevo dire. Per cosa non bisognava perdere nemmeno un minuto? Mi sono tirato su, ho sbadigliato e ho detto che stavo sognando qualcosa che avevo già dimenticato.

Otto

Sabato sera il suo collega e amico Carella lo aveva invitato a cena.

Carella era grassottello, con pochi capelli, aveva tre figli, sua moglie era la stessa ragazza con cui si era fidanzato a diciassette anni e il suo tempo libero lo passava facendo volontariato in un'associazione parrocchiale del Pigneto, dove abitava. Era in servizio al reparto operativo e nonostante le apparenze – che com'è noto ingannano – era un investigatore bravissimo.

Lui e Roberto si erano conosciuti alla Scuola sottufficiali e nonostante la loro totale diversità erano rimasti amici negli anni.

Carella aveva preso a cuore la situazione di Roberto: gli telefonava almeno una volta alla settimana e lo invitava a cena una volta al mese. Sottrarsi a quegli inviti era impossibile senza offendere l'amico e così, più o meno una volta al mese, di sabato sera, Roberto si sottometteva al rito della cena a casa Carella. C'erano la moglie e due dei tre figli (il più grande, avendo diciannove anni, usciva e si risparmiava l'incombenza), la casa profumava di sapone di Marsiglia, si mangiava male – la signora Carella era specializzata in pasta scotta, quale che fosse il condimento – e si parlava dei vecchi tempi. Roberto conversava educatamente senza sentire quello che gli dicevano e nemmeno quello che diceva lui, aspettando che arrivasse il momento in cui andarsene non sarebbe sembrato scortese.

Quella serata andò come le altre. Quando furono sulla porta, al momento di salutarsi, Carella gli disse, come sempre, che lo vedeva meglio. Questa volta però aggiunse qualcos'altro.

«Sai Roberto, in questi mesi ti ho sempre detto che ti vedevo meglio, che facevi progressi e che presto tutto si sarebbe aggiustato. Ricordi?»

«Certo.»

«Be', non era vero. Lo dicevo per essere di aiuto, per tirarti su, ma non sembrava affatto che andasse meglio. Nemmeno un poco. Eri sempre assente. Così assente che a volte mi veniva voglia di chiederti cosa avevo appena detto, ed ero sicuro che non avresti saputo rispondere.»

Roberto lo guardò con autentica curiosità.

«Stasera è stato diverso.»

«In che senso?»

«Eri qui. Non sempre, chiaro. Ma almeno in alcuni momenti eri qui e avevi lo sguardo di prima. Nei mesi passati sembravi... insomma, eri diverso, ma stasera sono contento davvero. Ti posso dire che va meglio senza dire una bugia.»

Roberto non sapeva cosa rispondere e nemmeno capiva bene a cosa si riferisse l'amico. La serata non gli era sembrata diversa dalle altre. Accennò un sorriso che poteva significare tutto e Carella ricambiò. Senza parole è più facile quando le cose non sono chiare.

Tornò a piedi, come al solito: a passo svelto ci voleva più o meno un'ora dal Pigneto a casa sua.

Mentre passava da piazza Vittorio vide un ragazzo intento a cercare di aprire un'auto che con ogni evidenza non era sua. A qualche decina di metri da Roberto c'era l'altro che faceva il palo. Senza nemmeno pensarci si avvicinò all'auto e al ragazzo che stava armeggiando con la serratura.

«Che fai?» gli chiese, pensando subito dopo che raramente aveva fatto una domanda più stupida nella sua vita.

L'altro lo guardò stupito. Chiaramente anche a lui la domanda era parsa bizzarra. «Sto a rubbà...» disse infine col tono di chi ritiene che tutto sia fin troppo evidente e non richieda particolari spiegazioni. A Roberto venne da ridere e dovette fare uno sforzo per controllarsi. Nel frattempo si era avvicinato anche il palo.

«Sono fuori servizio e sto tornando a casa, non mi costringete a lavorare. Andatevene e chiudiamola qua.»

I due si fissarono per un istante, guardarono in faccia Roberto, pensarono che non avevano voglia di fare scommesse e sparirono nella notte.

Il giorno dopo c'era il sole. Roberto fece una lunghissima passeggiata fino al Foro Italico. Mangiò in una trattoria da quelle parti e ritornò a casa, sempre a piedi. Si disse che avrebbe dovuto misurare le distanze che percorreva e subito dopo si chiese perché mai avrebbe dovuto farlo.

Gli tornò in mente la frase di Louis Armstrong. *If you have to ask what jazz is, you'll never know.*

Ogni tanto dava un'occhiata al telefono per vedere se per caso qualcuno l'avesse chiamato senza che lui se ne fosse accorto. Era un gesto assurdo, perché quasi mai qualcuno lo cercava, e nemmeno quella domenica era successo. Eppure gli parve che quel gesto avesse ugualmente un senso. Capirlo poi, quel senso, era tutta un'altra questione.

Il pomeriggio e la sera passarono fra televisione e computer.

Riguardò alcuni dei filmati che aveva visto qualche giorno prima, evitando però la pubblicità dell'acqua minerale. Ne trovò anche degli altri, fra i quali pezzi di spettacoli teatrali, in cui Emma sembrava molto diversa.

Fu assalito alla sprovvista dalla sensazione sgradevole di usare il suo computer come una specie di grande buco della serratura, un buco dal quale spiava senza essere visto. Gli parve di violare uno spazio dove sarebbe stato lecito introdursi solo con l'autorizzazione dell'interessata.

Questa percezione lo fece sentire in imbarazzo e così interruppe bruscamente la connessione, spense il computer, prese le medicine e andò a dormire.

Nove

Il mattino dopo Roberto si svegliò prestissimo, che ancora non era giorno. Dopo un inutile tentativo di riaddormentarsi, con l'irrequietezza che cresceva si alzò, si vestì, mangiò qualche biscotto, bevve un bicchiere di latte e uscì, muovendosi veloce come se avesse un appuntamento e fosse in ritardo.

Imboccò via Panisperna, svoltò su via Milano, raggiunse molto rapidamente via Nazionale e girò intorno alla fontana di piazza Esedra che quasi correva. Arrivò a Porta Pia, la attraversò e solo quando fu in via Alessandria si rese conto di essere molto vicino allo studio del dottore. Solo che lì doveva andarci all'incirca otto ore più tardi. Fu in quel momento che rallentò il ritmo forsennato della sua camminata, proseguì per un'altra mezz'ora e si ritrovò dentro Villa Ada.

Per prima cosa notò che vicino all'ingresso c'era una fontanella, simile a quella che aveva visto qualche giorno prima. La scoperta gli diede un sussulto di allegria.

Avrebbe dovuto sentirsi stanco, pensò, e invece avvertiva come un eccesso di energia, qualcosa che bisognava liberare e disperdere. Così, dopo aver disceso un leggero pendio erboso si guardò attorno per controllare se ci fosse qualcuno in giro. Ovviamente c'era qualcuno, anche se il parco era semideserto. Chi se ne importa, si disse, qui tutti vengono ad allenarsi, e iniziò a fare piegamenti sulle braccia.

Ne fece fino a crollare faccia a terra. Quando si rialzò le braccia gli tremavano e controllava il respiro con difficoltà.

Un signore anziano con un pastore tedesco al guinzaglio lo stava guardando con espressione preoccupata. C'era altra gente che si allenava nel parco, ma in tuta e scarpe da ginnastica. Uno che faceva piegamenti indossando jeans e un normale giubbotto era quanto meno insolito. Quando il padrone del pastore tedesco si accorse di essere stato notato distolse lo sguardo. Roberto, obbedendo a un impulso istintivo, si diresse verso di lui e quando fu abbastanza vicino gli rivolse la parola.

«Buongiorno» disse con tono cordiale, cercando di controllare l'affanno che ancora non era passato.

«Buongiorno» rispose quello piuttosto perplesso. Il cane seguiva la scena, vigile.

«Il pastore tedesco è il mio cane preferito» disse. Il signore anziano parve rilassarsi.

«Anche il mio. Ho sempre avuto pastori tedeschi, da quando ero ragazzino. Sono i migliori.»

«Il suo avrà tre o quattro anni.»

«Ha occhio. In effetti ha tre anni e mezzo.»

«Non le crea problemi quando lo porta a fare la sua passeggiata?»

«Vuol dire che siccome sono anziano potrebbe trascinarmi o farmi cadere?»

«No, non volevo dire questo ma...»

«Non si preoccupi, è una domanda del tutto legittima. Ho ottantun anni e se lui decidesse di farmi volare ci riuscirebbe benissimo.»

«Ma lui non lo fa.»

«No, non lo fa. È un ragazzo molto ben educato.»

«Educato da lei?»

«Sì. Quando ero più giovane l'addestramento dei cani era il mio hobby. Ero piuttosto bravo, partecipavo alle competizioni e spesso vincevo.»

«Che tipo di competizioni?»

«Se ne intende?»

«Un po'. Sono un carabiniere e ho avuto parecchio a che fare con i nostri cani.»

«Ah, avevo parecchi amici fra i carabinieri delle unità cinofile. Li ho persi di vista tutti, chissà chi è ancora vivo. Comunque partecipavo alle competizioni di utilità e di difesa. L'ultima gara che ho fatto sarà stata una ventina di anni fa.»

Era una frase neutra ma lui sembrò d'improvviso commuoversi. Parve guardare in lontananza senza riuscire a scorgere quello che cercava.

«Si lascia accarezzare?» chiese infine Roberto.

«Se lo autorizzo» disse l'altro, con una punta di orgoglio. E poi, rivolgendosi al cane: «Va bene Chuck, è un nostro amico».

Il cane prese a scodinzolare sobriamente e si avvicinò a Roberto. Lui lo accarezzò sulla testa e poi lo grattò dietro le orecchie.

«Posso farle una domanda?» disse il signore.

«Certo.»

«Perché faceva i piegamenti, così, vestito normalmente?»

«Sembravo un po' strano vero?»

«In effetti sì.»

Roberto si strinse nelle spalle.

«Sto uscendo da un periodo molto difficile della mia vita. C'è stato un terremoto e adesso siamo nella fase delle scosse di assestamento.»

Il vecchio lo guardò con un'espressione incuriosita e poi annuì come se avesse capito, ma forse – pensò Roberto – voleva solo essere gentile.

«Be', devo andare. Complimenti per il cane, è bellissimo.»

«Se avessi la sua età cercherei di non perdere tempo. Ogni singolo minuto che perdiamo non viene restituito. Buona fortuna.»

Roberto lo salutò e quello se ne andò, con il cane che camminava perfettamente al suo fianco. Come un soldato contento della sua disciplina. Roberto ebbe l'impulso di seguire l'uomo, di fermarlo e di chiedergli che gli spiegasse come si fa, a non perdere nemmeno un minuto. Naturalmente non lo fece. Rimase lì a guardarlo mentre si allontanava, pensando che, come la maggior parte delle persone che aveva incontrato nella sua vita, non lo avrebbe rivisto mai più.

***

Arrivò alle cinque meno un quarto. Entrò nel bar di fronte allo studio e prese una spremuta, tenendo d'occhio il palazzo. Era appena uscito e stava attraversando la strada quando il portone si aprì.

«Allora abbiamo proprio un appuntamento» disse lei sorridendogli.

Roberto rispose al sorriso mentre pensava, con un vago senso di panico, che non sapeva cosa dire.

«Sembra, sì.»

«Ho pensato che non ci siamo nemmeno presentati. Io mi chiamo Emma...»

Roberto le tese la mano, disse il suo nome.

«Il suo nome lo so già. Forse non si dovrebbe ma sono andato a guardarmi qualche suo filmato. Per quanto ne capisco io è molto brava.»

Parlò velocemente, come se temesse di non riuscire a dire tutto. Lei non sembrava toccata dal complimento ma nemmeno seccata per l'intrusione.

«Al massimo *ero* brava. Sì, non ero male, ma quella è la mia vita precedente. Non faccio più l'attrice.»

Roberto riuscì a trattenere la domanda. Cosa faceva adesso? Meglio non fare domande di cui non puoi prevedere le conseguenze. Così gli aveva detto una volta un avvocato suo amico. La regola era enunciata per i processi ma evidentemente valeva per molte altre cose.

«Ho visto che recitava anche in teatro.»

Lei parve confusa, come se quell'argomento la mettesse in difficoltà, o fosse comunque del tutto inatteso.

«Ci sono anche queste cose? Voglio dire: si trovano questi filmati con internet? Io non lo uso mai, giusto qualche volta per la posta elettronica.»

«Ho visto che lei ha recitato Shakespeare» insistette Roberto, ma mentre finiva di pronunciare quella frase si sentì goffo e stupido. Aveva parlato con il tono sicuro di uno che frequenta i teatri e che conosce Shakespeare.

In tutta la sua vita, a teatro ci era entrato solo per dei concerti e, una volta, per arrestare due attrezzisti che arrotondavano spacciando cocaina nell'ambiente. In quell'occasione – l'unica – aveva visto un lavoro teatrale. Gli sembrava di ricordare che fosse Pirandello e che, mentre stava lì nell'oscurità, in attesa di entrare in azione, qualcosa nei dialoghi lo avesse colpito.

«Le piace il teatro?»

Appunto.

«A dire la verità ne ho visto poco. Però sì, quel poco che ho visto mi è piaciuto. Mi piace Pirandello.» Ecco, l'aveva detto. Adesso lei gli avrebbe chiesto cosa gli piaceva, di Pirandello, lui non sarebbe stato in grado di rispondere, avrebbe fatto una figuraccia e lei avrebbe capito che era un cialtrone.

«Ho recitato in *Come tu mi vuoi*. Un'intera stagione, per tutta l'Italia» disse lei e dalla sua faccia assorta si capiva che era qualcosa di dimenticato da tempo che saltava fuori così, d'improvviso.

Roberto mosse appena la testa con l'espressione di chi sa benissimo di cosa si parla. Sperò intensamente che si passasse ad altro e giurò che quella sera avrebbe studiato, su Wikipedia. Shakespeare, Pirandello e quell'opera, il cui titolo aveva memorizzato: *Come tu mi vuoi*.

«Che razza di discorsi capitano in certi incontri casuali» disse infine lei. Roberto fece mentalmente un sospiro di sollievo.

«Adesso devo scappare. In realtà devo sempre scappare. La prossima volta mi dirà di cosa si occupa lei. Ciao.»

Gli passò davanti avvolgendosi la sciarpa attorno al collo e lasciando dietro di sé una scia lieve di profumo. Roberto la guardò sparire dietro l'angolo ed entrò nel palazzo.

Dieci

Salendo le scale si disse che non c'era dubbio: anche Emma era una paziente del dottore. Il ripetersi delle coincidenze costituisce prima indizio e poi prova. Era una frase che amava ripetere un pubblico ministero con cui Roberto aveva lavorato spesso ma, a pensarci bene, non era così profonda o originale. Anzi, non lo era per niente.

Per ragioni indecifrabili questa riflessione lo mise di malumore.

«C'è qualcosa che non va oggi, Roberto?»

Ovviamente se ne era accorto. Roberto ebbe l'impulso infantile di contraddirlo.

«No, no. È solo che stanotte ho fatto un sogno che mi ha colpito e allora ci stavo pensando.»

«Me lo racconti.»

Ecco. Non c'era nessun sogno da raccontare.

«Ho sognato di incontrare una donna. Era una persona che avevo già visto, e l'incontro avveniva in un luogo familiare, ma non riesco a mettere a fuoco quale fosse. Ci parlavamo, lei mi diceva il suo nome e poi scappava via. E quando scappava via sentivo il suo profumo, che è strano per un sogno, vero?»

Si stupì per come aveva imbastito la storia. Era tutto vero e tutto falso, si disse. Come un sacco di altre cose, a pensarci bene.

«In effetti gli odori nei sogni sono un'esperienza inusuale. Però capita. Che nome le ha detto questa donna del sogno?»

«Non ricordo. Non ricordo cosa mi diceva ma era come se ci stessimo presentando e poi lei dovesse scappare via perché aveva fretta.»

«E il profumo riesce a identificarlo? Le piaceva?»

«Non saprei dire esattamente. Era un profumo leggero e nel sogno ho pensato che doveva averne messo pochissimo. Mi piaceva, sì.»

Perché si stava aggrovigliando in quella serie di fesserie? Non gli era mai successo di mentire al dottore, e magari lui adesso stava cercando di interpretare quel sogno inesistente. Cosa significa sognare un profumo? E l'incontro con una donna che scappa via? Si sentì in colpa.

Subito dopo però, per alcuni lunghi e sconcertanti secondi, si chiese se quell'incontro di qualche minuto prima fosse davvero avvenuto. L'esperienza, anche se brevissima, gli diede le vertigini.

«Le era già successo in passato? Voglio dire: di fare dei sogni di contenuto olfattivo?»

«Se mi è capitato non me lo ricordo.»

E adesso, per piacere, cambiamo discorso, pensò.

«Se il sogno di un profumo è una novità per lei, allora direi che abbiamo una buona notizia. Un altro segnale di evoluzione.»

La mente umana funziona in modo sorprendente. Non c'era nessun sogno e quindi tutto quel discorso non avrebbe dovuto aver senso. Eppure quando il dottore gli disse che c'era una buona notizia, che quel profumo significava che le cose stavano cambiando per il meglio, Roberto ci credette. Il profumo leggero che Emma si era lasciata dietro andando via era una buona notizia per lui.

«Questo fine settimana mi sono reso conto di una cosa. Da una decina di giorni sogno molto di più. Sogno tantissimo. Prima non sognavo. Ok, d'accordo, lo so che non significa niente un'affermazione del genere. Sogniamo tutti e tutte le notti, me lo ha spiegato.»

«Sognava ma non ricordava. In un certo senso però la frase *non sognavo*, è corretta.»

Roberto lo guardò, in attesa della spiegazione.

«Conosce la storia dell'albero che cade nella foresta deserta, dove non c'è nessuno che possa sentirlo precipitare al suolo?»

«No.»

«Immagini che un vecchio albero, con il tronco fradicio e divorato dai parassiti, a un certo punto ceda e precipiti al suolo, fra gli altri alberi, distruggendo rami, travolgendo cespugli e magari rotolando una volta caduto. Immagini che non ci sia nessuno nella foresta a sentire l'albero che cade e travolge e si fracassa.»

Roberto lo guardava, perplesso.

«Mi segue?»

«Ci sto provando.»

«Se non c'è nessuno a sentirlo precipitare, l'albero produce rumore?»

«Cosa intende?»

«Se non c'è nessuno in quella foresta o nelle vicinanze e dunque quel rumore non lo sente nessuno, possiamo dire che sia esistito?»

«Il rumore?»

«Sì.»

«Ovviamente mi viene da dire di sì, ma immagino ci sia qualche trabocchetto.»

«Nessun trabocchetto. Il rumore è esistito o no?»

«Certo che è esistito.»

«E come facciamo a dirlo se nessuno lo ha sentito e...»

«Ma che c'entra...»

«Aspetti, mi faccia finire. Come facciamo a dirlo se nessuno lo ha sentito e nessuno può raccontarlo?»

Roberto non replicò subito. Non era una frase o una provocazione casuale e dunque, con ogni probabilità, la risposta più ovvia non era quella esatta. Altre volte il dottore aveva accennato al fatto che i paradossi aiutano a capire la realtà e a risolvere i problemi. In particolare quelli della psiche imbizzarrita.

«Vuol dire che se nessuno lo sente, il rumore non esiste?»

«È un antico problema zen, che ha anche una base scientifica, con cui però non voglio annoiarla. La funzione dei problemi zen – *kōan* si chiamano – è di porre l'allievo – in questo caso lei – di fronte alla contraddittorietà del reale, al suo carattere paradossale. Servono ad attirare l'attenzione sulla molteplicità delle possibili risposte ai problemi dell'esistenza e mirano a risvegliare la consapevolezza. Per certi aspetti hanno una funzione simile alla pratica dell'analisi.»

«E dunque?»

«E dunque pensare alla questione dell'albero nella foresta deserta può indurla a riflettere sui sogni e su cosa significhi ricordarli o non ricordarli.»

«E cosa significa?»

«Difficilmente il maestro zen risponde a una domanda così diretta. L'idea è che l'allievo, cercando la risposta esatta, raggiunga se stesso. Cioè, appunto, la consapevolezza.»

In quel momento da qualche parte nel condominio esplosero delle urla. Un uomo e una donna litigavano. Era la donna a gridare più forte e con più rabbia. L'uomo sembrava si difendesse, e che stesse per soccombere. Roberto non capiva se le voci arrivassero dall'appartamento di sopra o da quello di sotto.

«Sono qui sotto» disse il dottore intuendo la domanda di Roberto.

«Perché litigano?»

«Perché sono al capolinea ma non trovano il coraggio di ammetterlo.»

Nel frattempo le urla erano cessate. Roberto provava una incomprensibile angoscia per la tragedia privata che si stava consumando al piano di sotto. Pensava alle vite sbriciolate e ai cuori pieni di risentimento e alle cose che quei due dovevano essersi immaginati per il loro futuro insieme.

«Sa una cosa?»

«Mi dica.»

«Mi dispiace per questi due sconosciuti. Non capisco perché ma mi dispiace moltissimo per loro. Come se li conoscessi, come se fossero miei amici.»

Dall'appartamento di sotto venne il rumore di una porta sbattuta con violenza, ma niente più voci.

«Sono pazzo?»

Il dottore fece un gesto con la mano, come per spostare qualcosa che lo infastidiva.

«Tutti abbiamo la nostra quota di pazzia. La questione è come ci si convive. Alcuni ci riescono, più o meno bene, altri no. La gente viene da me per imparare a convivere con la propria pazzia. Anche se quasi nessuno ne è consapevole.»

La frase avrebbe dovuto fargli paura. Invece Roberto avvertì un inatteso senso di quiete. Come una cosa che si poteva accettare e che, affrontata, era molto meno brutta di come uno se la immaginava, nascosta in qualche sgabuzzino fetido della coscienza.

«C'è una cosa che non le ho mai chiesto, Roberto.»

«Sì?»

«Le piace leggere?»

Era singolare che gli facesse quella domanda proprio quel giorno. Poco prima aveva pensato che avrebbe dovuto documentarsi sugli interessi di Emma. Fare delle ricerche in rete ma anche leggere qualcosa. Per essere pronto a parlare con lei senza la sensazione di trovarsi sulle sabbie mobili.

«Non so dire se mi piace leggere. L'ho fatto poco

finora. Quando mi è successo, a volte mi è piaciuto, ma la lettura non è mai diventata un'abitudine per me.»

«Ricorda cosa le era piaciuto?»

Già, cosa gli era piaciuto? Non se lo ricordava. Gli venne in mente un bel libro sulla storia del basket che aveva letto qualche anno prima. Non gli parve la citazione più opportuna. Si accorse che voleva fare bella figura con il dottore e che si vergognava della sua ignoranza. Più o meno quello che aveva provato meno di un'ora prima chiacchierando con Emma.

«Qualche anno fa ho letto un libro sulla menzogna che mi aveva regalato un magistrato. Era di uno psicologo americano...»

«Paul Ekman?»

«Sì, era lui. È quello su cui hanno fatto anche una serie televisiva...»

«*Lie to Me*, e probabilmente lei ha letto *I volti della menzogna.*»

«Sì, quello. In qualche modo l'ho anche applicato al mio lavoro. Insomma, voglio dire che mi ha dato degli spunti.»

«E romanzi? Legge mai romanzi?»

Romanzi. Non si ricordava se avesse mai letto un romanzo in vita sua, e dunque probabilmente non ne aveva mai letto uno. E del resto quando avrebbe potuto leggere romanzi? A diciannove anni era entrato nei carabinieri. Il corso, poi la prima destinazione, il lavoro, sempre di più e sempre più invadente. Nel tempo libero, sempre di meno, aveva fatto altro. Quasi tutte cose che non gli piaceva ricordare.

«Non è un problema se i romanzi non le piacciono.»

«Credo di non averne mai letto uno. Era una cosa cui non avevo mai pensato. Adesso che me ne rendo conto mi vergogno.»

«La vergogna può essere un sentimento utile. È il segnale di qualcosa che non va e può essere uno stimolo a cambiare in meglio.»

A Roberto venne da piangere. Aveva quarantasette anni, la parte migliore della sua vita era passata ed era andata in briciole, nelle mani non gli rimaneva niente. Era un fallito, un uomo solo, ignorante e infelice, che aveva vissuto in modo insensato.

La voce del dottore interruppe quello smottamento insopportabile.

«Facciamo così. Adesso che finiamo la seduta, se non ha altri impegni vada in libreria – ne scelga una grande, sono posti più adatti a chi deve fare pratica – e ci passi un po' di tempo. Guardi i libri che vuole – anche quelli di sport vanno benissimo – e quando ne trova uno che la incuriosisce, lo compri, lo porti a casa e lo legga. Poi, se ne ha voglia, la prossima volta ne parliamo.»

Undici

Il dottore gli aveva suggerito una libreria grande. Pensò che a largo Argentina ce n'era una davvero grande che dallo studio del dottore era raggiungibile a piedi in meno di mezz'ora.

Camminò veloce, come al solito, e ci mise quanto aveva previsto. Davanti all'ingresso due africani cercarono di vendergli dei libri di fiabe e dovette fare qualche sforzo per rifiutare, aggirarli ed entrare.

Una volta all'interno si rese conto che non sapeva come comportarsi. Quando in passato gli era successo di entrare in una libreria lo aveva sempre fatto per una ragione precisa. Un libro specifico, da comprare per uno scopo specifico. Andare dal commesso, chiedere il libro, portarlo alla cassa, pagare e via. Senza nemmeno *vederli* tutti quegli altri libri che erano a migliaia sugli scaffali, sui tavoli, anche a terra.

Si guardò attorno con circospezione, come se gli altri potessero notarlo, rendersi conto che era un estraneo lì dentro, darsi una voce, sussurrare fra loro scrutandolo con sospetto.

Gli ci volle qualche minuto per convincersi che nessuno faceva caso a lui. Più in generale le persone sembravano ignorarsi. Tutti giravano fra i libri e i ripiani, sfogliavano, sceglievano, andavano alla cassa oppure si appoggiavano a uno scaffale, si sedevano su un divanetto e leggevano a lungo come in una biblioteca. La vista dei lettori abusivi lo rilassò definitivamente. Se nessuno badava a loro – e nessuno davvero badava a loro, nemmeno i commessi – allora nessuno avrebbe badato a lui.

Cominciò a mettere a fuoco il microcosmo che gli stava attorno. Fino a quel momento aveva percepito solo masse, più o meno colorate e pulviscolari, e individui che si muovevano fra quelle masse.

C'era un gruppo di uomini con abiti grigi e cravatte allentate; un ragazzo che fotografava la copertina e alcune pagine di un libro con il suo telefono cellulare; una signora anziana che esaminava con atteggiamento professionale il settore dei gialli; due ragazze che parlavano fitto fitto e sembravano del tutto disinteressate ai libri o a qualsiasi altra cosa non fosse la loro conversazione; un uomo con barba da ufficiale degli alpini che guardava i libri di storia e ogni tanto tirava su col naso e si schiariva rumorosamente la gola.

Dopo aver vagabondato per qualche minuto in mezzo a quell'umanità, come in un acquario, Roberto si fece indicare da una commessa il settore dei libri di teatro. Pensò che lì avrebbe trovato qualcosa che gli offrisse degli spunti per conversare con Emma. I titoli che gli passavano per le mani però non sembravano adatti. Intanto c'erano commedie e tragedie. Roberto provò ad aprire

Beckett, ne lesse una pagina e se ne ritrasse piuttosto preoccupato. Poi c'erano dei volumi sul teatro con titoli come *Per un teatro sciamanico* o *Lo spazio vuoto*. Provò a sfogliare anche quelli e di nuovo rinunciò rapidamente.

Accanto ai libri sul teatro c'era una sezione di testi dedicati alla scrittura e fra questi Roberto fu attirato da un manuale che si intitolava *Come scrivere la storia della propria vita*.

Mentre lo sfogliava si accorse di un tipo che lo guardava di sottecchi. Era un signore grasso, con un impermeabile scuro, di taglia conformata, che gli stava largo. Aveva un libro in mano e uno zainetto sulle spalle – che sembrava minuscolo su quella mole – e come capita spesso ai grassi era di un'età indecifrabile. Dopo qualche secondo posò il libro sullo scaffale e si avvicinò a Roberto.

«Posso farle una domanda? Magari è indiscreta e allora lei mi dice che non sono fatti miei, io mi scuso e fine.»

«Dica.»

«Lei non frequenta abitualmente le librerie, vero?»

Roberto ebbe un sussulto di fastidio e per un istante pensò di dirgli che in effetti non erano affari suoi.

«Si vede?»

«Be', sì.»

Poi gli tese la mano e si presentò. Disse di essere un giornalista. Doveva scrivere una serie di pezzi sui frequentatori delle librerie. Quelli abituali e quelli occasionali. Roberto gli era parso subito un soggetto interessante.

«Posso chiederle perché è entrato in libreria?»

Roberto pensò che spiegargli tutto sarebbe stato un po' complicato.

«Ho conosciuto una donna che ama il teatro. Vorrei regalarle un libro, ma non ho idea di cosa prendere.»

Era una bugia ma mentre dava quella risposta Roberto ebbe l'impressione di scoprire il vero motivo per cui era finito lì dentro.

«Compri *Il mondo è un teatro*» disse l'altro, prendendo dal banco un libro dalla copertina arancione e porgendolo a Roberto. «È un bel libro su Shakespeare e la sua epoca, divertente e serio allo stesso tempo. Farà una bella figura in tutti i casi, anche se la sua amica lo ha già letto. Anzi, forse in questo caso ancora di più.»

Proprio in quel momento si avvicinò una signora dall'aria un po' sciatta. Aveva un volume con la copertina blu scuro e chiese al signore grasso se poteva autografarglielo. Quello sorrise, disse di sì, tirò fuori una penna da quattro soldi che sembrava piccola nella sua mano e scrisse qualcosa sulla prima pagina. La signora ringraziò, si scusò per l'intromissione e andò via, tornando da un'amica che l'aspettava qualche metro più in là.

«A volte scrivo anche dei libri» disse l'uomo, con un tono vagamente imbarazzato, quasi di scusa. Rimasero lì senza dire altro. L'arrivo di quella signora aveva alterato un equilibrio. Alla fine il giornalista-scrittore ruppe il silenzio, salutò – piacere di aver fatto la sua conoscenza – e si diresse, rapido quanto gli consentiva la sua mole, verso un'altra zona della libreria.

Roberto guardò la copertina del libro che aveva in mano e poi si diresse verso la cassa.

Si sentiva allegramente fuori posto. Leggero.

Dodici

La leggerezza non durò molto e in breve lasciò il posto all'angoscia e al senso di vuoto. Alternanza di esaltazione e depressione. Ne avevano parlato, lui e il dottore, qualche tempo prima. Poteva succedere che per qualche settimana o per qualche mese i due stati si alternassero man mano che la situazione migliorava.

Migliorava davvero?

Andò dal dottore, il giovedì pomeriggio, in preda a pensieri piuttosto cupi.

«È stato in libreria?»

«Sì, ci sono andato dopo essere uscito di qua.»

«È stata un'esperienza positiva?»

Roberto indugiò qualche secondo. Positiva. Certo, anche se oggi l'umore era pessimo. Ma erano due cose distinte fra loro.

«Sì, direi di sì. Ho conosciuto un giornalista. In realtà poi ho scoperto che è anche uno scrittore.»

«Uno scrittore? Chi è?»

Roberto gli raccontò la sua incursione in libreria e l'incontro con il giornalista-scrittore di cui non ricordava il nome – dalla descrizione il dottore parve capire chi era, ma non disse nulla – ed ebbe un attimo di esitazione solo prima di rispondere alla domanda su cosa si fosse comprato.

«Una biografia di Shakespeare.»

Se il riferimento a Shakespeare gli fece qualche effetto il dottore non lo diede a vedere.

«Insomma, andare in libreria le è piaciuto.»

«Sì, e sono rientrato a casa di buon umore. È durato un giorno e poi invece ieri mi sono svegliato la mattina presto con una brutta sensazione.»

«Cioè?»

«Tristezza e paura. Forte quasi come i primi tempi che venivo qui. E da ieri mattina a oggi, il mio umore è solo peggiorato. Credevo di stare meglio e adesso invece ho paura. Mi sembra di non avere nessun controllo di quello che succede qua dentro» disse, dandosi un colpo piuttosto forte con la mano sulla fronte.

Il dottore indossava una camicia scura di cotone. Respirò profondamente, si arrotolò le maniche sugli avambracci magri e muscolosi, si schiarì la voce.

«Ne abbiamo già parlato e sono sicuro che se lo ricorda. Queste cose non hanno mai un andamento lineare. Si fanno tre o quattro passi in avanti, e poi due indietro e poi qualche altro avanti e così via. I passi indietro derivano dalla paura del cambiamento. Se si convive a lungo con la sofferenza, alla fine essa diventa in qualche modo parte di noi. Quando cominciamo a star meglio, quando cominciamo a staccarci dalla sofferenza, viviamo degli stati d'animo contraddittori. Da un lato siamo contenti, dall'altro ci sentiamo in difficoltà, perché ci manca qualcosa che faceva parte della nostra identità e comunque garantiva una forma di equilibrio. L'oscillazione fra euforia e tristezza dipende da questo. È normale, non c'è nulla di cui avere paura. Non più di quanto ci sia da avere paura nel fatto di stare al mondo, naturalmente.»

«Forse il problema è proprio questo. Ho paura di stare al mondo.»

«Io credo che lei debba essere fiducioso. Quando una situazione migliora, cioè cambia, gli scossoni si sentono. È normale che a qualche giorno di vera e propria euforia seguano momenti meno euforici. Nel nostro lessico si parla di momenti disforici. Quando arrivano è un po' come finire sotto un'onda. La regola fondamentale è non farsi prendere dal panico, non fare resistenza perché è inutile, e aspettare che passi.»

«Passa?»

«Quasi sempre. Lei del resto dovrebbe sapere bene com'è, finire sotto una grande onda.»

«Si perde del tutto il senso della posizione. Non sai dov'è il sopra e dov'è il sotto. Non hai più nessun controllo dei movimenti e del tuo stesso corpo.»

«Come se le regole dello spazio fossero sospese?»

«Sì, è esatto. Come se le regole dello spazio venissero sospese» ripeté lentamente Roberto.

«E come si fa a venirne fuori?»

«Bisogna aspettare che passi.»

«Appunto. È la stessa cosa. A volte, se l'onda è particolarmente grande, se la caduta è stata violenta, immagino che un aiuto torni utile.»

«Sì. Io però me la sono sempre cavata da solo. Anche se qualche volta è stata dura.»

«Pensa che ci sarebbe riuscito con qualsiasi onda?»

«No, ha ragione. Ci sono casi in cui non puoi farcela senza una mano. E a volte si annega comunque, nonostante l'aiuto. Successe una volta a un ragazzo che conoscevo.»

«A volte capita, sì. Purtroppo e nonostante gli sforzi di chi vorrebbe dare soccorso.»

«Comunque è proprio come ha detto lei. Bisogna lasciarsi andare all'onda, quando prende, senza andare in panico. Dopo qualche secondo, quasi sempre, il mondo ritorna al suo posto.»

«Vuole raccontarmi un po' del surf? Mi ha detto che ha cominciato con suo padre.»

«Sì.»

«Era bravo?»

«Lui o io?»

«Mi dica di tutti e due.»

Roberto si sentì spiazzato. Squilibrato, come se d'un tratto gli fosse mancato un punto di appoggio. Sembrò cercare le parole. Mosse anche un po' le mani, in un movimento che sembrava alludere alla ricerca di un appiglio.

«Mio padre... era bravo. Vecchia scuola, ma molto bravo. Aveva fatto surf con alcuni grandissimi del passato, surfisti di grandi onde. Gente che aveva surfato anche alle Hawaii, sulla North Shore, a Waimea Bay.»

Roberto si fermò quasi bruscamente.

«Faccio dei nomi che non le dicono niente.»

Il dottore mosse la mano come a dire: va benissimo così.

«E lei? Lei era bravo?»

«Me la cavavo.»

«È la descrizione più esatta? *Me la cavavo*?»

Roberto lo guardò.

«Ero bravo. Anch'io ero molto bravo, forse sarei diventato anche più bravo di mio padre, se non avessi smesso.»

Il dottore sorrise. Proprio un sorriso, con la nota amara, come fossero stati due amici davanti a una birra e uno dei due avesse ricordato qualcosa di bello, che li univa; uno dei motivi per cui potevano dire di essere amici.

«Ho letto un romanzo in cui si parlava anche di surf e ho trovato una frase che mi ha colpito. Faceva più o meno così: un conto è aspettare l'onda, un conto è alzarsi sulla tavola quando arriva.»

«Chi ha scritto quella frase sapeva di cosa stava parlando. Quando sei lì capisci che tutto il resto sono cazzate. Scusi dottore, ma volevo proprio dire cazzate. Esiste un senso di verità, non so come dire, l'idea che ogni cosa venga... messa a fuoco. Un senso di bellezza, di totalità, di essere un tutt'uno con il resto. Quando l'onda ti porta, senti di *fare parte*, se capisce cosa intendo; e ti sembra che tutto finalmente abbia un significato. E quando sei su certe onde – montagne di acqua, vere montagne – non ti importa di nulla. Vuoi solo scoprire di che pasta sei fatto. Non ti importa niente, a parte essere lì sopra. E c'è un'armonia perfetta, in quei secondi che sei lì, in equilibrio fra il mare e il cielo, quasi fermo mentre scivoli velocissimo fra l'acqua e l'aria, e il fragore. Passi nel mezzo dell'onda, nel punto esatto, equidistante tra questi opposti.»

Roberto si interruppe, stupefatto per come i ricordi erano venuti fuori e si erano trasformati in racconto.

«Lei crede in Dio, dottore?»

L'altro lo scrutò con un'ombra di sorpresa sul viso. Ci mise un po' per rispondere.

«Se credo in Dio? Ha mai sentito parlare di Blaise Pascal?»

«No.»

«Pascal era un filosofo francese del diciassettesimo secolo. Un filosofo e un grande matematico. È famoso, fra l'altro, per la cosiddetta teoria della scommessa.»

«E cioè?»

«Pascal diceva che conviene scommettere sull'esistenza di Dio. Le risparmio tutto il ragionamento ma in sintesi l'idea è che se scommettiamo sull'esistenza di Dio e Dio esiste vinciamo la scommessa con un guadagno infinito. Se Dio non esiste, non perdiamo nulla e almeno abbiamo trascorso un'esistenza resa più lieta dalla fede. Sostiene Pascal.»

Roberto cercò di impadronirsi dell'idea. Era suggestiva ma, in qualche modo, anche inafferrabile.

«C'è qualcosa che mi sfugge» disse infine.

Il dottore non rispose. Lo guardava muovendo leggermente il capo, con le labbra serrate. Sembrava cercasse di mantenere il controllo di una situazione che si era evoluta in modo imprevisto.

«Lei ha paura della morte?»

«A rigore dovrei dirle che questi – le mie opinioni sull'aldilà e le mie paure nell'aldiqua – non sono gli argomenti di cui possiamo parlare. A rigore.»

«Scusi.»

«Fatta questa premessa e lasciando perdere il rigore: la morte non è il mio pensiero preferito, direi. Ma l'idea davvero molesta è quella degli eventuali preliminari. Ecco, quelli vorrei risparmiarmeli.»

«Mi stanno tornando in mente cose di quando ero bambino e ragazzo.»

«Le racconti.»

«Mi vengono in mente i distributori di gomme da masticare. Quelle rotonde e colorate, se li ricorda?»

«Continui.»

«Ecco, mi ricordo quegli aggeggi e mi ricordo il burro di arachidi. E poi gli Snickers e i *marshmallows*... e adesso mi ricordo anche di una volta che mio padre mi portò a vedere una partita dei Lakers.»

«Sono una squadra di basket, vero?»

«I Lakers sono la squadra di basket più forte del mondo. Una delle squadre di Los Angeles. La mia squadra.»

Gli parve di sentire l'odore del pop-corn, il rombo della folla del Forum quando Kareem Abdul-Jabbar piazzava i suoi famosi *ganci-cielo,* la carta del bicchiere di coca. Ricordò la giacca a quadri di suo padre, i suoi baffi. Gli parve di vederlo, mentre gli parlava con il suo odore di dopobarba e di sigaretta.

Stavano commentando un'azione di gioco, o forse

parlavano di altro. Roberto seguiva la scena come un osservatore esterno e non sentiva quello che i due si stavano dicendo. A un certo punto l'uomo diede un pugno cameratesco sulla spalla al ragazzo; Roberto pensò che non sarebbe riuscito a trattenersi. Fra poco si sarebbe messo a piangere e non avrebbe potuto smettere.

«Mio padre era un detective, gliel'ho già detto. Abitavamo in periferia. Da casa mia al mare ci volevano al massimo dieci minuti. Qualche minuto in più per Dana Point, che è un bel posto per il surf. Mia madre faceva la traduttrice. Una mattina presto bussarono alla porta di casa dei colleghi di mio padre e se lo portarono via. Era una giornata bellissima, un sabato. Ci aspettavamo onde magnifiche per quella mattina. Pochi giorni dopo lui si suicidò in carcere. Non mi ricordo quasi nulla delle settimane successive ma dopo sei mesi ci eravamo trasferiti in Italia, nella casa di famiglia di mia madre. L'aveva ereditata un anno prima o poco più, dai suoi genitori. Con mio padre avevano deciso di venderla. Mia madre non è mai più stata all'estero per il resto della sua vita. Io non sono mai più tornato in California.»

Disse tutte quelle cose con voce piatta e incolore. Il dottore fece un lungo respiro. Roberto sentì una rabbia improvvisa che gli montava dentro e che, inaspettatamente, era rivolta contro l'uomo che gli stava davanti.

Ci furono alcuni minuti di silenzio pesantissimo. Alla fine Roberto sbottò.

«Ovviamente non mi chiede per quale motivo mio padre fu arrestato. Ma se non me lo chiede io non glielo dico. Sono un po' stufo di fare un gioco in cui le regole le decide solo lei.»

«Perché fu arrestato, suo padre?»

Roberto ebbe un gesto di impazienza.

«Prendeva soldi dai proprietari di bar, ristoranti e locali notturni. Quelli che pagavano potevano stare tranquilli, quelli che invece non pagavano avevano vita molto difficile.»

E poi, dopo una pausa: «Non ho mai parlato con nessuno di questa storia».

«Lei sarebbe rimasto in California, vero?»

«Sì. Sa una cosa assurda?»

«Quale?»

«Ho rabbia verso mio padre non tanto per i reati che ha commesso, quanto per il fatto di essersi ucciso e di avermi lasciato solo. Maledizione.»

Smise di parlare. Si tormentò a lungo le mani, l'una con l'altra. Si pizzicò il mento. Si strofinò la faccia.

E poi le lacrime arrivarono.

Giacomo

Ormai Ginevra e io ci salutiamo tutti i giorni, quando arriviamo a scuola e, a volte, anche quando ce ne andiamo, se lei non va via troppo di fretta. Ieri poi c'è stata una novità: mi ha chiamato per nome.

La frase esatta è stata questa: «Giacomo, hai una penna in più? La mia non scrive».

Stavamo facendo il compito di italiano e detta così potrebbe sembrare una cosa senza importanza. Mi ha solo chiesto una penna, e come si dovrebbe chiamare uno, se non per nome?

A scuola però ci chiamiamo quasi tutti per cognome, e il nome proprio si usa solo con quelli che sono davvero amici. E questo significa che non è una cosa senza importanza.

Ho pensato che avrei dovuto rispondere chiamandola anch'io per nome, cosa che non ho mai fatto. In classe solo due amiche la chiamano per nome. Non ci sono riuscito, ma nei prossimi giorni giuro che ci proverò, in un modo o nell'altro.

Ho anche pensato che voglio preparare una compilation per lei, con alcuni dei pezzi che mi piacciono di più, che poi sono tutti di quando non ero ancora nato. Roba che ascoltavano i miei genitori, tipo i Rolling Stones, i Led Zeppelin, i Dire Straits. Li metterò su una chiavetta USB e poi troverò il modo di dargliela. Certo, non sarà facile, senza che nessuno mi veda, ma a questo penserò al momento opportuno.

Lo devo ammettere: credo di avere una cotta pazzesca, per Ginevra.

***

Stanotte Scott mi ha portato al lago, quello con l'acqua trasparente che sembra una piscina, e ha detto che potevamo fare il bagno. Mi sono tuffato di testa – e ora che ci penso, ero completamente vestito – e sono scivolato come un pesce per diversi metri sotto quell'acqua azzurra e limpida. Bisogna subito dire una cosa: io non so tuffarmi di testa e, anche se so più o meno nuotare, l'acqua profonda mi fa paura, come parecchie altre cose, del resto.

Nel lago del parco è stato diverso. Mi sentivo al sicuro e ho nuotato tanto, anche sotto la superficie, con gli occhi aperti, e vedendoci benissimo come se avessi avuto una maschera. Anche Scott si è tuffato e ha nuotato con me, abbiamo giocato e insomma tutto è stato davvero molto divertente. Quando siamo usciti dall'acqua eravamo asciutti, il che, visto da questa parte, può sembrare bizzarro, ma in quel momento mi è sembrato perfettamente naturale.

«Scott?»

Dimmi, capo.

«Questo in cui ci troviamo è un sogno, vero?»

Direi di sì, capo.

«Te lo chiedo perché a volte sembra tutto molto reale.»

Scott si è seduto davanti a me e mi ha guardato inclinando la testa di lato, aspettando che gli chiedessi quello che volevo chiedergli.

«Se faccio, o dico, una cosa da questa parte può produrre effetti nel... mondo reale?»

Mi è sembrato che Scott sorridesse, prima di rispondermi.

Quasi tutto quello che accade nel mondo reale dipende da quello che fai e dici da questa parte, capo. E viceversa. In molti non lo sanno, ma le cose vanno proprio così.

Era una frase un po' enigmatica e non sono sicuro di aver capito bene quello che Scott voleva dire. Ho cercato di concentrarmi, ma più provavo ad afferrare il significato di quella frase – e come poteva avere a che fare con me, con Ginevra – più mi sfuggiva.

Poi tutto è diventato nebbioso e alla fine mi sono svegliato.

Tredici

Rientrò a casa dopo la lunga passeggiata del sabato sera, fece una doccia, si preparò da mangiare. Mentre aspettava che la pasta cuocesse lo sguardo gli cadde sul sacchetto della libreria, che era lì in cucina da qualche giorno. Distrattamente tirò fuori il libro che aveva comprato per Emma e ne lesse alcune pagine, a caso.

Non sembrava male, la storia del misterioso William Shakespeare di Stratford sull'Avon. Senza nemmeno accorgersene, allora, cominciò a leggere dall'inizio e andò avanti fino a notte fonda. Riprese a leggere la mattina dopo, proseguì il pomeriggio e la sera a letto. Finì verso mezzanotte e trovò che l'esperienza era stata inconsueta e interessante. Aveva letto un libro intero in un solo giorno e la cosa gli era parsa naturale. Proprio questa naturalezza era l'aspetto più singolare della faccenda. Aveva sempre considerato la lettura un'attività che richiedeva impegno, programmazione, tempo. Una cosa riservata solo a chi poteva permettersela. Adesso invece veniva fuori che leggere era – poteva essere – come bere, mangiare, camminare o respirare.

Ci sarà un senso in tutto questo, si disse spegnendo la luce e tirando su la coperta, un attimo prima di sprofondare nel sonno.

Quando il lunedì mattina si risvegliò e guardò l'orologio, si rese conto di aver dormito profondamente per quasi nove ore, senza interruzioni.

L'ultima volta era successo, forse, vent'anni prima.

***

Mentre camminava verso lo studio del dottore cominciò a piovere, e subito agli angoli di strada si materializzarono le facce scure dei venditori di ombrelli. Roberto ne comprò uno, pensando che lo avrebbe aggiunto alla collezione che aveva a casa: uno per ogni pioggia che l'aveva sorpreso negli ultimi mesi, fra l'autunno e la primavera.

Arrivò allo studio alle cinque meno venti. Aveva immaginato di passeggiare avanti e indietro nei pressi del portone, con aria indifferente, in attesa che lei uscisse. La cosa diventava molto meno naturale con tutta quell'acqua che cadeva. Pensò di ripararsi nel bar ma scartò subito l'ipotesi. Lei sarebbe sbucata dal portone e accorgendosi della pioggia sarebbe scappata subito – verso la macchina o altrove – per bagnarsi il meno possibile. Dunque l'unico modo per riuscire a chiacchierare un po' era aspettarla nell'androne. L'idea lo mise un po' in imbarazzo ma non c'erano alternative. Citofonò allo studio, nessuno rispose e come al solito dopo qualche secondo il portone si aprì.

Aspettò per una decina di minuti senza che nessuno

entrasse o uscisse. Poi alle cinque meno dieci sentì qualcuno che scendeva. Era un passo piuttosto agile, quasi maschile. Roberto si stava chiedendo se non si trattasse di qualcun altro quando Emma sbucò dall'ultima rampa. Lo vide che non era ancora arrivata giù e si fermò sulle scale, con un'espressione stupita. Scese poi gli ultimi gradini più lentamente.

«Buonasera» disse lei quando fu giù.

«Buonasera.»

«Piove davvero forte.»

«Sì, ha cominciato all'improvviso ma ho comprato un ombrello.»

«Se questa fosse una sceneggiatura, l'ultimo dialogo andrebbe riscritto. Possiamo fare di meglio.»

«Ha ragione, ma lei mi intimidisce.»

«Non so se devo prenderlo come un complimento.»

«Credo di sì. Posso farle una domanda?»

«Sì, certo.»

«Lei è una paziente...?»

«Sì, anche lei, vero?»

«Sì.»

«Però ci tengo a dirle che sono innocuo e non sono pazzo. Non molto almeno. Lei è pazza?»

La disse bene. Lei scoppiò a ridere, di botto. Una bella risata piena.

«A volte penso di sì. In passato l'ho creduto, ma adesso direi che va meglio. No, penso di no. Non sono pazza, anche se il dottore dice che lo siamo tutti.»

«Sì, lo so, la differenza è fra quelli che sanno convivere con la pazzia e quelli che non ci riescono.»

«Allora anche lei è avanti, quasi guarito.»

«Perché?»

«Il dottore mi ha detto questa cosa solo quando cominciavo a stare meglio, dopo molti mesi dall'inizio delle sedute. All'inizio credo che non l'avrei capita.»

«Le sembro invadente se propongo di darci del tu?»

Nuova risata, più breve ma della stessa tonalità.

«Perché no? In fondo siamo colleghi.»

«Colleghi?»

«Tutti e due pazienti psichiatrici» disse lei ridendo.

«Ho un libro per te.»

«Un libro per me?»

Roberto tirò fuori il volume dalla tasca dell'impermeabile. Le disse quasi la verità. Era andato in libreria – non precisò che era stata un'esperienza nuova, pensò che era un aspetto della questione che poteva essere lasciato nell'ombra –, aveva visto quel libro che gli era stato consigliato da un amico, lo aveva letto, gli era piaciuto e aveva pensato che sarebbe piaciuto anche a lei. Probabilmente molto più che a lui. Sempre che non l'avesse già letto.

Quasi la verità.

Lei lo guardava stupita.

«Me ne avevano parlato. Volevo leggerlo, grazie.»

Così dicendo allungò la mano e prese il libro che lui le stava porgendo. E poi, dopo una breve pausa, come se non potesse proprio trattenersi: «Che strano».

«Cosa?»

«Non sembravi il tipo... cioè, diciamo non sembri il tipo che fa questo genere di letture. Adesso rischio la gaffe, come al solito, ma voglio dire che hai l'aria di uno d'azione piuttosto che di uno che legge questo tipo di libri. Ecco: diciamo che in un film ti farei fare lo sbirro e non il professore.»

Lui sorrise senza dire niente. Lei lo guardò interrogativa. Lui continuò a sorridere senza dire niente.

«Mica fai veramente il poliziotto?»

«Sono un carabiniere.»

«No!»

«Sì.»

«Ma tu guarda... Sei il primo carabiniere che conosco.»

«Anch'io non ho mai conosciuto attrici.»

Le scappò una smorfia. Durò pochissimo e probabilmente nemmeno lei se n'era accorta. Mosse la testa come per sbarazzarsi di un pensiero molesto.

«Non faccio più l'attrice. Adesso vai, altrimenti arriverai in ritardo.»

«Hai un ombrello?»

«No.»

«Ti accompagno all'auto.»

«Ti farò fare ancora più tardi.»

Lui non rispose, uscì e dopo aver aperto l'ombrello le fece cenno col capo di seguirlo. La pioggia batteva forte, più di prima. Così forte che quasi nessuno camminava per strada. Emma gli si appoggiò, per rientrare sotto la protezione dell'ombrello. Il solo contatto della mano di lei sul suo braccio gli procurò un brivido.

Identico – pensò stupefatto all'affiorare prepotente di quel ricordo lontano – al brivido di tanti anni prima, quando sull'autoscontro una sua coetanea quattordicenne gli aveva appoggiato la mano sulla gamba.

Arrivarono alla macchina. Lei aprì lo sportello mentre lui la proteggeva e si inzuppava.

«Be', grazie, speriamo che lunedì prossimo non piova» disse lei.

«Sì, speriamo» disse lui sentendosi un idiota.

«Allora ciao, sbirro.»

«Nel libro, dentro, ci ho scritto il mio numero di telefono. Caso mai.»

«Ah, bene.»

«Allora ciao.»

«Ciao.»

***

«Mi scusi per la volta scorsa.»

«Non deve scusarsi. Era naturale che lei si arrabbiasse con me.»

Roberto lo guardò interdetto.

«Perché?»

«Secondo lei perché è successo?»

«Non lo so. In quel momento ero molto arrabbiato con lei. Dopo mi è parso assurdo.»

«Era una cosa normale.»

«A me sembra strana.»

«Convengo con lei che può sembrare strana. Ma va bene così.»

«Non so di cosa parlarle, oggi.»

«Stiamocene per un po' in silenzio, allora.»

Quattordici

I cinquanta minuti passarono così, fra molto silenzio e poche parole, in un'atmosfera sospesa. Se glielo avessero chiesto, Roberto non sarebbe stato capace di dire se era allegro o triste, sereno o inquieto, eccitato o depresso; non sarebbe stato capace di dire niente, di sé. Avvertiva sentimenti cui non sapeva dare un nome. A un certo punto pensò che era nella condizione di chi vorrebbe spiegare emozioni complicate ma è costretto a esprimersi in una lingua che conosce appena. Gli parve una buona intuizione e cercò di svilupparla, ma in breve ne perse il bandolo e i suoi pensieri fluttuarono da un'altra parte.

Alla fine della seduta il dottore gli disse che giovedì sarebbe partito per un congresso e dunque si sarebbero rivisti di lì a una settimana, il lunedì successivo.

Roberto registrò l'informazione ma si rese conto del suo significato solo al momento di uscire in strada, dove la pioggia continuava a cadere implacabile.

I suoi movimenti in giro per la città, i suoi pensieri, il suo sonno, i suoi pasti, la televisione, il computer, fumare, bere, allenarsi, lavarsi, preparare da mangiare, fare la spesa, tutto ruotava attorno alle ore diciassette del lunedì e alle ore diciassette del giovedì.

Il congresso del dottore fece saltare il centro di gravità e produsse un micidiale smottamento della coscienza. Camminando sotto la pioggia, con l'ombrello che non riusciva a ripararlo e l'acqua che penetrava ovunque fino a infradiciarlo, Roberto fu colto dall'angosciosa consapevolezza del tempo indistinto che gli si apriva davanti. Un mare piatto come l'olio, una distesa infinita e deserta, senza terraferma all'orizzonte.

La settimana trascorse vischiosa, segnata da un sordo cerchio alla testa, continuo e refrattario alle pillole.

Roberto si mosse a fatica – come dovendo trascinare un peso di molto superiore a quello del suo corpo – attraverso giornate tutte uguali, infilate una dentro l'altra.

Si svegliò la mattina presto e andò a dormire la sera tardi. Percorse ossessivamente la città sotto la pioggia che durò a lungo, per gran parte della settimana, quasi ininterrotta. Si fermò a mangiare, tutto bagnato, in rosticcerie e squallidi ristoranti nascosti al confine della periferia, in posti che un'ora dopo non sarebbe stato capace di ritrovare. Fumò sigarette umide al riparo precario di cornicioni o di portici. Un paio di volte gli parve di incontrare facce conosciute, ma non sapeva chi fossero e non aveva voglia di scoprirlo. Entrambe le volte distolse lo sguardo e passò avanti rapido, quasi furtivo.

La domenica il mal di testa finì.

Il lunedì mattina Roberto riemerse dallo stagno scuro e limaccioso che aveva attraversato in apnea.

Giacomo

Ho preparato la compilation. Non è stato facile scegliere i pezzi e ci ho messo parecchi giorni, anche perché ho pensato che non dovevano essere troppi e soprattutto non potevo rischiare di mettere roba che non le piacesse. Insomma, dovevo andare sul sicuro.

Alla fine ho deciso per sei brani che sono questi: *Time Is on My Side* dei Rolling Stones, *Everybody Hurts* dei R.E.M., *Tunnel of Love* dei Dire Straits, *Don't Stop Me Now* dei Queen, *With or Without You* degli U2 e *Stairway to Heaven* dei Led Zeppelin che è la mia canzone preferita, perché mi ricorda qualcosa di bello, anche se non ricordo cosa.

Avevo anche pensato di dare un titolo alla raccolta ma quelli che mi sono venuti in mente non mi parevano adatti, anzi facevano proprio schifo. Roba tipo: *Songs for Ginevra* o *Giacomo's Selection* o altre cose sdolcinate che mi vergogno anche solo a scriverle in questo diario.

Alla fine ho rinunciato al titolo, ho messo la chiavetta nello zaino e l'ho portata avanti e indietro da casa a scuola per una settimana senza trovare l'occasione o il coraggio di dargliela. Poi lei si è assentata e da due giorni non viene a scuola. Ho pensato di telefonarle ma non ho il suo numero di cellulare e comunque se lo avessi non è detto che troverei il coraggio di chiamarla.

Ieri sera, dopo aver esitato per almeno un'ora, ho provato a chiederle l'amicizia su Facebook. Vediamo che succede.

***

Ho avuto un incubo e non mi capitava da parecchio.

Ero seduto nel mio letto e mi pareva di essere perfettamente sveglio quando ho sentito un frullo d'ali. Stavo per accendere la luce ma poi, nella semioscurità, ho visto un piccione che mi guardava, appollaiato sulla lampada.

Subito dopo ho scoperto che a terra, sempre vicino al letto, ce n'erano altri due. No, non erano due, erano di più. Cinque, o forse sei o sette, o forse dieci. O forse venti. Adesso erano tutto intorno, sul comodino, sulla scrivania, sulla sedia, anche sul letto. La stanza era piena di piccioni e da un punto che non riuscivo a distinguere continuavano ad arrivarne altri. Erano sull'armadio, sul lampadario, sul pallone. E adesso mi guardavano tutti. Tutti grigi, che nel buio sembravano neri, tutti con lo stesso sguardo stupido e ostile e cattivo da piccione.

Però nessuno si muoveva.

Erano *troppo* fermi, ho pensato, e così, cercando di vincere il ribrezzo, ho allungato la mano verso uno di quelli che erano sul comodino. L'ho toccato con un dito ma quello non si è mosso. Ne ho toccato un altro e nemmeno l'altro si è mosso.

Allora ho provato a toccare il terzo, ma con un po' più di energia. L'uccello è caduto a terra facendo un rumore come di una palla di carta o di un pezzo di cartone. Ho provato a spingerne un altro e anche quello è caduto, senza dare segni di vita. Allora, anche se la cosa mi faceva schifo, ho provato a prenderne uno. L'ho preso con circospezione, con la punta dell'indice e del pollice, e in quel momento ho capito.

Non era vivo.

Era impagliato.

Erano tutti impagliati e mentre tenevo fra le dita quello che avevo preso ho sentito un fruscio che si diffondeva per la stanza. Non veniva da nessun posto in particolare.

I piccioni hanno cominciato a cadere, uno dopo l'altro, quasi a raffica. Una pioggia battente di piccioni impagliati. Una cosa veramente schifosa.

Mi sono riparato la testa con le mani, sforzandomi di non urlare, e sono rimasto così per tutto il tempo che è durata. Poi, quando quella pioggia è finita, mi sono guardato attorno, ho controllato per terra, sul letto.

Non c'era niente, perché mi ero svegliato.

Quindici

Si stava preparando a uscire quando il cellulare squillò. La cosa accadeva così raramente che sulle prime Roberto non si rese conto che quel suono lo riguardava.

«Pronto.»

«Ciao, sono Emma.»

«Emma, ciao.»

«Mi sono ricordata che mi avevi scritto il numero di telefono sul libro.»

«Sì, era sull'interno della copertina» rispose Roberto una frazione di secondo prima di sentirsi un idiota. Se gli stava telefonando evidentemente lo aveva trovato, il numero.

«Il libro, sì. È molto bello, grazie. Leggerlo mi ha ricordato tante cose.»

In quel momento Roberto si rese conto che Emma a quell'ora avrebbe dovuto essere nello studio del dottore.

«Ma non sei dal dottore?»

«Appunto, no. Non ci sono potuta andare, oggi. In

realtà non ci andrò più il lunedì, perché... vabbè, non è importante, è una ragione di lavoro. Insomma ho cambiato giorno.»

«Ah, allora il nostro appuntamento è annullato?» Cercò di dare un tono leggero alla sua voce, ma un pensiero gli stava trafiggendo il cervello: se lei aveva cambiato il giorno della seduta, era probabile che non si incontrassero più.

«È per questo che ti ho telefonato. Come se avessimo avuto un vero appuntamento. Lo so che può sembrare un'assurdità ma ho pensato che se non mi avessi visto ti saresti preoccupato.»

Poi fece una pausa e in quegli attimi di silenzio a Roberto parve di sentire il mormorio frenetico di pensieri fuori controllo.

«È vero. Se non t'avessi incontrata oggi mi sarei preoccupato. Grazie.»

Silenzio, brulicante di intenzione inespressa. Ognuno percepiva l'altro sul punto di parlare e aspettava.

«Forse...»

«Pensavo...»

«Scusa, dimmi.»

«No, dimmi tu.»

«Se stasera non sei troppo impegnata forse potremmo mangiare un boccone o prendere un aperitivo insieme. Stasera.» Disse *stasera* due volte, non riuscendo a spiegarsi il perché. E comunque mentre finiva di parlare Roberto era già pentito di quello che aveva detto. Che ne sapeva di lei, a parte le cose che aveva scoperto cercando su internet? Che ne sapeva se era sposata – l'anello non l'aveva, anzi a pensarci bene non aveva proprio nessun anello, ecco la vecchia attitudine a osservare i dettagli –, se stava con qualcuno, se semplicemente non aveva nessuna intenzione di vederlo e la telefonata era stata solo l'atto impulsivo di una persona instabile.

«Ovviamente se non puoi o non ti va, nessun problema. Non voglio essere invadente, mi è venuto così di dirtelo» aggiunse in fretta.

Lei esitò qualche secondo.

«Non ho molto tempo ma forse per un aperitivo ce la farei. Dovremmo vederci dalle mie parti.»

«Certo. Tu mi dici quali sono le tue parti e io ci vengo.»

«Io sto a via Panisperna. Potremmo vederci a Santa Maria dei Monti, c'è un bar con i tavolini all'aperto... oggi fa quasi caldo, magari possiamo stare fuori.»

Roberto non rispose. Santa Maria dei Monti era a non più di duecento metri da casa sua.

«Ehi, sei ancora lì?»

«No, cioè sì, scusa, mi era passata una cosa per la testa – mi capita – e mi sono distratto. Santa Maria dei Monti va benissimo, conosco il bar. A che ora ci vediamo?»

«Magari sei lontano ed è un problema arrivare fino a Monti, ma io non posso allontanarmi, mi dispiace.»

«Monti non è proprio un problema per me. Facciamo alle otto?»

«Sì, alle otto va bene» e poi, dopo una breve esitazione: «Scusami...».

«Sì?»

«Ti avverto che sto per fare una figuraccia, ma io non ascolto mai i nomi quando faccio la conoscenza di qualcuno...»

«Neanch'io.»

«... e non ho sentito il tuo. Scusami.»

«Roberto.»

«Roberto. Anche tu, però. Potevi scriverlo il nome, vicino al numero di telefono. Così mi avresti risparmiato l'imbarazzo di chiedertelo.»

«Hai ragione, colpa mia. Stasera ti declino le mie generalità complete e ti lascio anche una fotocopia del documento, per ogni evenienza.»

Risata.

«Buona idea, così controllo se sei veramente un carabiniere. Allora, a stasera.»

«Alle otto.»

Sedici

Fu preso da un'eccitazione febbrile. Pensò di chiamare lo studio, dire che aveva avuto un contrattempo e che per quel pomeriggio doveva annullare l'appuntamento. Archiviò l'idea quasi subito. Uscì di casa e fece la strada praticamente di corsa, per non lasciarsi sovrastare dal formicolio mentale che si era impadronito di lui dopo la telefonata di Emma.

Verso la fine della seduta – che era scivolata via come una cordiale chiacchierata fra due estranei in un vagone ferroviario – il dottore gli chiese se fosse tutto a posto. Roberto disse che sì, era tutto a posto e che sì, doveva scusarlo se era un po' distratto, da alcuni giorni le sue reazioni lo sorprendevano, non sapeva davvero cosa aspettarsi da se stesso e adesso doveva proprio scappare perché aveva un impegno quella sera e ci vediamo giovedì mi scusi ancora.

Se ne andò sentendosi addosso lo sguardo penetrante del dottore e dicendosi che ci avrebbe pensato giovedì, a cosa dirgli per spiegare quel suo comportamento.

***

Dopo la doccia si guardò allo specchio e si accorse di avere la pancia. Naturalmente lo sapeva da tempo. Anni e anni di cibo pessimo e alcol abbondante in giro per il mondo non passano senza lasciare il segno.

Però, anche se lo sapeva, in quel momento se ne rese conto veramente. Cioè: la *vide*. Si mise di profilo, poi di nuovo di fronte, poi pensò che avrebbe dovuto osservarsi anche di spalle ma non aveva un secondo specchio e quindi questo non si poteva fare. Provò a trattenere il respiro. Poi contrasse gli addominali, che certamente c'erano, anche perché da un po' aveva ricominciato ad allenarsi. Ma altrettanto certamente non si vedevano. Pensò che molti anni prima i suoi addominali sembravano quelli delle pubblicità dei costumi da bagno. Adesso, decisamente, no. Chissà in quale momento avevano cominciato a sparire sotto uno strato crescente di grasso? Non lo sapeva e del resto gli anni passati facendo quella vita assurda erano avvolti in una nebbia sottile e angosciosa. Sapeva di essere stato a Madrid, a Ginevra, a Londra, a Marsiglia, a Bogotá, a Caracas, a New York, a Miami e in un sacco di altri posti ma non gli riusciva di ordinare la memoria di tutti quei viaggi, di tutti quegli aeroporti, di tutti quegli alberghi, di tutti quegli incontri, di tutti quei pranzi e banchetti. E di tutte quelle donne. Ecco, un'altra cosa preoccupante. Non si ricordava i nomi e nemmeno le facce, di molte. Ricordava i corpi e di alcune anche gli odori. Ma non le facce e non i nomi.

Va bene, si disse. Meglio smetterla e finire di prepararsi.

Si rese conto che in casa non aveva nemmeno un flacone di profumo. Dovrò comprarne uno, si disse, mentre si poneva il problema di come vestirsi. La cosa produsse d'un tratto una specie di paralisi mentale, un senso di panico. Da quanto non entrava in un negozio di abbigliamento? Aveva solo abiti vecchi e – pensò, sentendosi in imbarazzo – piuttosto miserabili. Anche la sua casa era sciatta e miserabile. Pensò con sgomento all'idea che Emma potesse entrare lì dentro, vedere dove viveva, capire chi era, intimamente.

Poi, sotto mucchi di camicie lavate e non stirate, magliette, calze spaiate, mutande con l'elastico slabbrato, qualche cravatta fuori uso, scovò come per miracolo una camicia nuova, ancora avvolta nel suo involucro di plastica. Scartò la camicia e la indossò; poi si infilò un paio di jeans che più o meno sono sempre uguali anche se ce li hai da un sacco di tempo; infine recuperò la giacca più presentabile che trovò nell'armadio: il pezzo di sopra di un abito che aveva da anni ma che aveva indossato due, forse tre volte.

Si sentì meglio. Tirò in dentro la pancia, raddrizzò le spalle e gli parve di non essere così malridotto come si era visto poco prima. Fece anche qualche smorfia per cercare di dare un po' di colore e di espressione al suo viso.

Uscendo pensò che non appena si fossero incontrati le avrebbe detto che erano vicini di casa, per evitare equivoci che potevano diventare spiacevoli.

Era in anticipo, prese a camminare lentamente e arrivò in piazza della Madonna dei Monti alle otto meno cinque. La cosa gli diede un senso rassicurante di controllo e un piccolo sussulto di allegria. C'era un'atmosfera lieve, il senso di attesa un poco euforica tipico delle prime sere di primavera. Alcuni ragazzi ridevano seduti sui gradini della fontana, due signore anziane e sovrappeso chiacchieravano in romanesco, un uomo raccoglieva con sacchetto e paletta quello che il suo cane aveva appena depositato sui sampietrini.

Roberto si sedette a un tavolino all'aperto e continuò a guardarsi attorno con la stessa curiosità e un senso di confuso stupore, come fosse stata la prima volta che capitava in quella piazza.

Emma arrivò con cinque minuti di ritardo. Anche lei era vestita in modo primaverile. Jeans, camicia bianca, giacca, borsa di cuoio a tracolla, impermeabile sul braccio.

«Scusa, odio essere in ritardo» disse sedendosi con un sorriso amichevole e diffondendo attorno a sé quel profumo che a Roberto pareva già familiare.

«Solo cinque minuti.»

«Sei minuti» disse lei guardando l'orologio. «Sai, fino a qualche anno fa avevo la regola di arrivare davvero in ritardo. Venti minuti, anche mezz'ora a volte. Poi capitò l'argomento dal nostro dottore e lui mi spiegò cosa significa.»

«E cosa significa?»

«È una forma di esercizio del potere. Una specie di sopraffazione, un sopruso mascherato. Insomma una cosa che proprio non mi piaceva. Quando me lo disse io gli risposi che mi sembrava una sciocchezza, che non si può attribuire una spiegazione patologica a tutto, che arrivavo in ritardo perché avevo sempre troppi impegni e non ce la facevo e altre cose del genere. Gli risposi piuttosto male, in modo aggressivo. Il che capitava spesso nei primi tempi.»

«E lui?»

«Lui sorrise, facendomi innervosire ancora di più. E poi mi disse che quando ne avessi avuto voglia avrei potuto chiedermi perché questa considerazione mi irritava tanto. E quando ne avessi avuto voglia avrei potuto dirgli qual era stato l'esito della mia riflessione.»

«Sì, mi sembra di vederlo e sentirlo.»

«E naturalmente aveva ragione. Mi ero irritata perché aveva ragione. Mi aveva colto sul fatto, come in tanti altri casi. Ci ho messo un po' a dirglielo ma da allora ho cominciato a farci attenzione, a questa faccenda dell'arrivare in ritardo. Ora mi capita molto meno ma certe abitudini sono difficili da cambiare del tutto. Quando mi capita ancora, quando arrivo in ritardo anche solo di pochi minuti, mi scuso sempre. Sono ancora convalescente. Ti ho portato questo.»

«Cos'è?» chiese Roberto.

«*I Am a Bird Now* di Antony and the Johnsons. Lo conosci?»

«No, ma non sono un grande esperto di musica.»

«Stavo per uscire e ho pensato che volevo darti una cosa mia, visto che il tuo libro mi è piaciuto molto. Ho preso questo. Accetti l'usato?»

Ricevere regali era una cosa che non gli capitava da tanto tempo e Roberto si rese conto di non sapere come comportarsi. Dovette fare uno sforzo anche solo per dire grazie e sorridere. Poi prese il disco e osservò la copertina. In quel momento arrivò la cameriera. Emma ordinò uno spritz leggero con l'Aperol. Roberto disse che per lui andava bene la stessa cosa.

«Casa mia è in via Panisperna... ah, scusa, te l'avevo già detto. Sei pratico della zona?»

«Sì, ci abito.»

«In che senso?»

«Sto in via del Boschetto.»

«Qui dietro?»

«Sì.»

«Maddai! Perché non me lo hai detto subito?»

«Quando mi hai detto che abitavi da queste parti sono rimasto così sorpreso che non ho avuto la prontezza di spirito di dirtelo.»

«Ma tu guarda. Ci saremo incrociati chissà quante volte.»

Sospirò, sorrise, scrollò la testa.

«Hai una sigaretta?»

«Fumi?» chiese lui con un tono leggermente stupito.

«Quelle degli altri. Non le compro perché altrimenti ne fumerei un pacchetto al giorno.»

Roberto tirò fuori le Diana rosse e l'accendino, maledicendosi per non aver pensato a comprarne altre.

«Ho solo queste però. Non sono esattamente sigarette da signora.»

Lei ignorò la battuta, prese pacchetto e accendino,

si accese una sigaretta e ne fumò metà avidamente, senza dire nulla. Arrivò la cameriera e depositò sul tavolo spritz, arachidi e patatine.

«Da quanto tempo abiti qua?»

«Era la casa di mia madre. Ci ho abitato con lei dai sedici ai diciannove anni. Poi sono partito per la Scuola allievi sottufficiali dei carabinieri. Sono passati venticinque, ventisei anni e, poco meno di due anni fa, sono tornato a vivere qui.»

«Con tua madre?»

«No, mamma è morta...» Roberto si fermò completamente smarrito. Non ricordava quando era morta sua madre. Dovette fare un terribile sforzo per risalire prima all'anno, poi al mese, infine al giorno. Fu come arrampicarsi su una parete verticale, priva di appigli.

«Mamma è morta quasi cinque anni fa. La casa è rimasta vuota finché non ci sono venuto io, quando sono cambiate... alcune cose nel mio lavoro.» Stava per dirle che prima, per tanti anni, aveva abitato in case di copertura, alloggi di servizio, alberghi, residence. Stava per aggiungere che non aveva mai avuto una casa veramente sua in tutta la vita, a parte gli anni della California. Stava per farlo e poi si disse che non era il caso, non ancora almeno.

«Anch'io sto qua da circa due anni, no, forse un po' di più, quasi tre. E prima ci sono cresciuta. Adesso abito nello stesso palazzo in cui vivono i miei genitori. Loro hanno due appartamenti, me ne hanno lasciato uno e ci abito con mio figlio.»

Concluse la frase accelerando il ritmo, come se volesse essere sicura di riuscire a dire tutto, vincendo qualche ragione di imbarazzo.

«Hai un bambino.» Quello che aspettavi quando hai fatto la pubblicità dell'acqua minerale, pensò senza dirlo.

«Se si sente chiamare *bambino* si arrabbia sul serio: ha undici anni, quasi dodici.»

«Quasi dodici anni» ripeté Roberto a voce bassa e con un tono un po' assente. Rimase in silenzio per qualche secondo e poi parve scuotersi. Come se un pensiero gli avesse attraversato la testa e fosse scivolato via.

«E fino a sedici anni dove abitavi?»

«In California. Sono nato lì.»

Seguì una pausa.

«Mio padre era americano. Quando è morto, mia madre e io siamo venuti via.»

«Vuol dire che hai la doppia personalità... scusa, volevo dire la doppia nazionalità.»

Roberto scoppiò a ridere pensando che non gli capitava da tanto tempo, di ridere così.

«La doppia personalità mi sembra un'ottima definizione. E sì, comunque ho anche la doppia nazionalità.»

«Scusami, dico delle cazzate terribili, non so come mi succeda.»

«Ma è proprio così, non devi scusarti. Anzi, forse la doppia personalità è riduttivo. Sono ben più di due.»

«Roberto. È questo il tuo nome.»

«Sì.»

«Roberto, mi sembra giusto dirti subito una cosa.»

«Dimmi.»

«Non credo di essere pronta per una relazione sessuale. Voglio evitare equivoci e non voglio offenderti in nessun modo.»

«Ehi, non ci hai girato troppo attorno.»

«Tu mi sei simpatico. Quello che sto per dire ti sembrerà assurdo, ma nelle poche volte che ci siamo incontrati, in qualche modo mi sono affezionata a te. Proprio per questo voglio evitare fraintendimenti. La mia vita è ancora un casino, sto cercando di tirarmi fuori dai disastri del passato e non sono pronta per un sacco di cose.»

Prese un'altra sigaretta dal pacchetto che era rimasto sul tavolo.

«Parlo come in un film di seconda categoria.»

«Va bene per me, io ho quasi sempre visto film di seconda categoria. E comunque anch'io non credo di essere pronto per molte cose. Fra queste il sesso, visto che hai toccato l'argomento. Non avevo proprio pensato a uno sviluppo sessuale di questo incontro.»

Era vero? Roberto non lo sapeva, in effetti. Forse era vero o forse quella risposta dipendeva dal bisogno di superare l'imbarazzo; e magari di darle una piccola, innocua lezione. Non sei pronta per il sesso (sottinteso: con me, visto che qui davanti ci sono io), be', nemmeno io (sottinteso: con te, visto che qui davanti ci sei tu).

Lei lo guardò un po' sorpresa. Giocherellò con la sigaretta. Poi l'accese. Poi gli chiese perché non ne prendesse una anche lui. Roberto rispose che in quel momento non gli andava. Lei parve sul punto di aggiungere qualcosa ma poi rinunciò. Leggera tensione elettrica, fra i due. Non allarmante, ma percepibile con chiarezza.

«Lo sai che sono una paziente psichiatrica?»

«Anch'io lo sono.»

«E da brava paziente psichiatrica, avendoti appena comunicato che non ero pronta per una relazione sessuale, mi sono molto infastidita nel sentirti dire che era lo stesso per te. *Io* posso avere il diritto di non provare intenzioni sessuali verso un uomo ma non c'è nessuna condizione di reciprocità, lo sai, vero?»

Lui la guardò socchiudendo gli occhi.

«C'è poco da guardarmi così» disse lei sorridendo, «non puoi dire una cosa simile a una ragazza in generale e a un'attrice in particolare. O anche una ex attrice. Siamo creature fragili, noi. Bisogna trattarci con delicatezza.»

Indugiò, ma era chiaramente una pausa tecnica. Roberto non doveva dire niente, solo aspettare.

«Tutti in qualche misura si preoccupano del giudizio altrui, tutti cercano approvazione. Questo è normale. Il problema sorge – e per gli attori sorge molto facilmente – quando la ricerca d'approvazione diventa una forma di dipendenza. E lo stadio successivo è quello della paranoia.»

«In che senso?»

«Cominci a dividere il mondo fra quelli che ti approvano, ti amano, ti ammirano, ti trovano meravigliosa e gli altri. Cioè i cattivi che, in qualche oscura maniera, sono anche tutti d'accordo fra loro.»

Si interruppe bruscamente.

«Va bene, ho la paranoia dell'attrice, senza nemmeno più esserlo. Direi che sono alquanto patetica.»

«Sei andata dal dottore per questo?»

Lei lo guardò come se non capisse. Come se la domanda fosse stata formulata in un'altra lingua. Poi si rilassò. Fece una faccia quasi divertita, anche se con una sfumatura remota di sgomento.

«Se sono andata dal dottore per la paranoia dell'attrice? No, sarebbe stata una ragione troppo sofisticata. E comunque insufficiente per spendere i soldi che ci ho speso e che ancora ci spendo. Sono andata dal dottore solo perché la mia vita era completamente a pezzi. Una cosetta così.»

Roberto avrebbe voluto rispondere che allora ci erano andati per lo stesso motivo, dal dottore. Non lo fece perché non era sicuro di saper trovare il tono giusto. Lei disse che fumare una terza sigaretta era eccessivo, che sarebbe stato meglio evitare. In perfetta coerenza subito dopo se l'accese. Soffiò il fumo e svuotò il suo bicchiere.

«Una parte di me dice di lasciar perdere, un'altra ha una gran voglia di raccontarti tutto. Possiamo berci qualcosa di più impegnativo? Che ne so, un primitivo pugliese da quindici gradi? Ci facciamo portare anche qualcosa da mangiare?»

Lui la guardò senza formulare la domanda, ma avendocela ben chiara in faccia. Tanto chiara che lei la percepì subito.

«Adesso tu starai pensando che avevo detto di non avere molto tempo.»

«In effetti avevi detto così.»

«Volevo tenermi aperta una via d'uscita. Chi è questo qua, in fondo? Uno conosciuto per caso e per giunta dallo psichiatra. Magari dopo dieci minuti mi ha già annoiato. Magari si è fatto delle idee sbagliate, in fondo è un pazzo come me e come tutti quelli che vanno dal dottore. Magari è un maniaco, uno con le pulsioni omicide, uno stupratore potenziale, che ne so. Insomma volevo essere libera di filarmela in qualsiasi momento, senza problemi.»

«E invece?»

«E invece non mi è venuta voglia di filarmela. Mi piace come ascolti. Fai venir voglia di parlare. Immagino che questo significhi che sei bravo nel tuo lavoro.»

Quale lavoro? Un lavoro non ce l'aveva più. Prendeva uno stipendio come maresciallo in aspettativa per ragioni di salute, ma un lavoro – una cosa che sapeva e che poteva fare – non ce l'aveva più. Quando il periodo massimo del congedo per ragioni di salute fosse terminato, avrebbe dovuto prendere una decisione. Rientrare, magari andare a comandare una stazione come quella in cui era capitato all'inizio della sua carriera a occuparsi di liti di ballatoio, guide senza patente, e furti di autoradio. Le rubavano ancora le autoradio? No, non più. Allora nemmeno quelli.

Oppure andarsene. Forse era la cosa migliore. Aveva diritto alla pensione? Non si era mai posto il problema, chissà perché gli era venuto in mente proprio in quel momento, mentre chiacchierava con lei. Forse aveva diritto alla causa di servizio per la pensione anche prima del raggiungimento dei limiti di età. O forse, gli parve di ricordare, con almeno venti anni di servizio, c'era il diritto alla pensione anche se bisognava aspettare una certa età. Una certa età, che espressione orribile. Doveva informarsi su qual era, quella certa età in cui avrebbe preso la pensione.

La voce di lei lo ridestò.

«Ehi, sei qui?»

«Scusa. Hai parlato del mio lavoro e ho fatto certi pensieri. Mi sono distratto.»

«Decisamente. Sembravi proprio da un'altra parte.»

«Allora organizziamo il seguito della serata. Se vogliamo bere un bicchiere di vino e mangiare qualcosa sarebbe meglio andare in un ristorante. Hai preferenze?»

«Eccome se ce le ho» disse sorridendo. Adesso pareva una bambina, e lui sentì il cuore che gli si spezzava e si sbriciolava e diventava una cosa senza corpo. «È una vita che non mangio indiano. Qui a due passi ce n'è uno che mi piaceva molto. Non so se è ancora buono però. Proviamo, vuoi?»

Giacomo

Ginevra non è tornata a scuola – sono tre giorni che manca ormai – e nemmeno ha risposto alla mia richiesta di amicizia su Facebook. Nessuno sa il perché della sua assenza e io comincio a essere preoccupato.

Credo sia per questo che oggi mi sono svegliato prestissimo e non sono riuscito a riaddormentarmi. Non ce la facevo a rimanere a letto e così mi sono alzato e mi sono messo a scrivere il sogno di stanotte, per far passare il tempo e il nervosismo.

Mi sono addormentato leggendo (mia madre poi deve essere venuta a spegnere la luce) e poco dopo mi sono ritrovato nel parco. Scott non c'era e a differenza delle altre volte il cielo era piuttosto nuvoloso, l'aria più fresca, quasi fredda; l'erba sembrava più alta. Mi sono guardato attorno e nel mezzo del prato ho visto Ginevra. L'ho salutata con la mano ma lei non mi ha risposto, si è girata ed è andata via, camminando veloce.

Le sono andato dietro affrettandomi ma per quanto mi sforzassi non riuscivo ad avvicinarmi. Più acceleravo, più la distanza fra di noi, invece di ridursi, aumentava.

Ho provato a mettermi a correre ma avevo le gambe pesantissime, mi sembrava di muovermi al rallentatore e a un certo punto sono anche inciampato e caduto. Ginevra si allontanava sempre di più, è diventata sempre più piccola, fino a quando è completamente scomparsa nell'erba.

Mi sono seduto per terra, sconsolato. Mi sentivo molto solo e molto infelice.

Tutto bene, capo?

Mi sono voltato e ho visto Scott che arrivava trotterellando.

«Scott! Meno male che ci sei. Dov'eri finito?»

Ehi, capo, hai una faccia tremenda. Cosa è successo?

Lì per lì non ci ho fatto caso, ma Scott è abilissimo a non rispondere alle domande, quando non vuole.

«C'era Ginevra, l'ho salutata e non mi ha risposto, ho cercato di raggiungerla e lei è scappata via.»

Scott mi ha guardato con un'espressione che non riuscivo a decifrare.

«Che succede, Scott? Sono giorni che Ginevra non viene a scuola e adesso che la incontro qui scappa via.»

Non so capo, ma ho l'impressione che ci sia qualche problema dall'altra parte.

«Cosa vuoi dire?»

L'altra parte è quando sei sveglio, capo, lo sai. Ma quello è un territorio di cui mi intendo poco.

Anche se ero preoccupato e triste per via di Ginevra questa frase di Scott mi ha ricordato delle cose che gli volevo chiedere già da un po'.

«Ricordi la prima volta che ci siamo incontrati, Scott?»

Non potrei mai dimenticarmela, capo.

«Ricordi che con me c'era...»

Tuo padre.

Tuo padre.

Credo che non me le ha mai dette nessuno, quelle due parole. O almeno io non me lo ricordo. Le rare volte in cui mamma parla di mio padre dice *il tuo papà*, e per i nonni è lo stesso. Quando penso a mio padre io, quasi sempre, uso la parola *padre*, ma sentirla usare da qualcun altro, non lo so, mi dà l'idea che sia vero e non qualcosa che esiste solo nella mia memoria e nella mia fantasia.

Il tuo papà non è una brutta espressione, anzi. Però – è difficile da spiegare – mi dà l'idea di un rapporto fra un uomo e un bambino. Cioè l'unica cosa che c'è stata fra lui e me e che è finita per sempre.

«Perché è scomparso e non si è più fatto rivedere?» Mentre completavo la frase mi sono accorto che non sapevo bene se stavo parlando del primo sogno in cui ho incontrato Scott o di quando mio padre è andato via di casa e non è più tornato. E mi sono accorto che ero arrabbiato – molto arrabbiato – con lui, per il fatto di essere scomparso senza farsi più rivedere. Nel mondo reale; o nel sogno; o in tutti e due.

Scott non ha detto nulla e continuava a guardarmi con la stessa espressione seria di prima.

«Lo sai che mio padre era uno scrittore?»

Sì capo, io e tuo padre ci conosciamo bene.

«Se vi conoscete bene perché non me lo fai incontrare? Avrei davvero bisogno di parlargli.»

Tuo padre è sempre in giro da queste parti, anche se non si fa vedere. Ci sono delle cose che deve dirti, ma non sa come fare.

«Cosa deve dirmi?»

Adesso Scott più che serio sembrava triste e anche, a differenza del solito, indeciso sul da farsi.

«Cosa deve dirmi mio padre, Scott?»

Ha sospirato e forse aveva deciso di rispondermi. Io però mi sono svegliato in quel preciso momento. Ho tentato di riaddormentarmi e di rimettermi a sognare per sentire quella risposta, ma non ci sono riuscito.

Non ci si riesce mai.

Diciassette

Quando arrivò il momento di bere il cabernet che avevano ordinato e versato nei bicchieri, Roberto ebbe un attimo di esitazione. Lei se ne accorse.

«Non sei astemio, vero? No, non sei astemio, hai preso lo spritz.»

«È che prendo ancora dei farmaci e pare che si debba stare attenti a non mischiarli con gli alcolici. Ho già bevuto... ma va bene, non c'è problema, bevo il vino e stasera niente medicine. Il dottore ha detto che posso farlo, di tanto in tanto. Anche se fino a oggi non mi è mai capitato e onestamente l'idea mi mette un po' di ansia. Vabbè, alla peggio non dormo stanotte.»

«Ancora farmaci? Da quando vai dal dottore?»

«Ci vado da...» e di nuovo quella sensazione spiacevole di non riuscire a trovare le coordinate temporali. Da quanto tempo andava dal dottore? Annaspò, come gli era capitato cercando di ricordare l'anno in cui era morta sua madre.

Aveva cominciato ad andare dal dottore subito dopo l'estate.

Sì, in settembre, adesso era aprile e quindi, più o meno, sette mesi.

«Sette mesi, più o meno.»

E oggi che giorno è? Lunedì, certamente, perché era stato dal dottore e avrebbe dovuto incontrare Emma che invece non ci era andata. Gli sembrava che da quando si stava preparando a uscire per andare dal dottore non fossero passate alcune ore ma alcuni giorni, anzi parecchi giorni. La sensazione fu così forte che Roberto si chiese se non fosse davvero passato qualche giorno e lui non si stesse confondendo, ormai avviluppato irreparabilmente in questa sua personale trappola del tempo. Ma, per tornare alla questione, che giorno era del mese di aprile? Che numero?

Di nuovo quel senso di panico, quell'impressione di essersi perso in un territorio sconosciuto. Un posto dove avrebbero potuto nascondersi entità mostruose dietro oggetti familiari e quotidiani. Entità che potevano saltarti addosso e divorarti. Non riuscì a ricostruire che giorno fosse – doveva essere più o meno la metà di aprile – e pensò di guardare sul cellulare. Ma avrebbe dovuto tirarlo fuori dalla tasca e, appunto, guardarlo. Gli parve una cosa scortese e in qualche modo codarda. Da domani si sarebbe munito di un calendario e avrebbe fatto caso a che giorno era ogni giorno. E a poco a poco avrebbe ricostruito la cronologia degli ultimi mesi e poi degli ultimi anni della sua vita.

«Che giorno è oggi?»

«Lunedì, 18 aprile. Perché?»

«Ogni tanto mi confondo. E, sì, prendo diversi farmaci.»

«Io ho smesso da qualche mese di prendere la roba pesante. Una dozzina di gocce di Minias la sera però continuo a spararmele. Il dottore dice che va bene, che dormire è importante e che qualche goccia di ansiolitico non ha mai fatto male a nessuno.»

Roberto era un po' sorpreso da quel modo leggero e allegro di trattare l'argomento. Alla fine alzò il bicchiere, accennò un brindisi, Emma ricambiò e poi bevvero. Lei lo guardava e lui non riusciva a decifrare il suo sguardo ma la cosa gli piaceva.

Arrivarono tutti insieme, piatti e scodelle con riso, pane indiano, pollo *tikka masala,* curry di agnello, legumi.

Lei si avventò sul cibo come se venisse da un lungo digiuno e per una decina di minuti parlarono pochissimo.

Riemersero dal silenzio mentre aspettavano il dolce.

«Quindi, riepilogando: hai detto che non fai più l'attrice?»

«Vorresti sapere cosa faccio, immagino.»

«Se non è un'informazione riservata.»

«Faccio la commessa.» Lo disse con una lieve, ma percepibile nota di aggressività nella voce.

«Prego?»

«Le mie amiche si arrabbiano quando do questa risposta. Dicono che è un modo per autocompatirmi e che non faccio la commessa. Diciamo che faccio la commessa di lusso, ma pur sempre la commessa.»

«Forse dovresti darmi qualche elemento in più.»

«Quando mi sono resa conto che non potevo e non volevo più fare l'attrice ho cercato un lavoro completamente diverso. Il problema è che non sapevo fare niente. In realtà non so fare niente nemmeno ora. A parte cantare, un po', ma non c'è tutta questa fila di produttori musicali che vorrebbero un mio disco. Comunque sia: dovevo trovare qualcosa che andasse bene per una che non sapeva fare niente. Sparsi la voce e dopo alcune proposte assurde, mi chiamò un amico. In realtà era amico di una mia amica e mi disse che stava per aprire una specie di galleria d'arte, o meglio una via di mezzo fra una galleria d'arte e un negozio di arredamento di lusso. Quadri, sculture, mobili, oggetti. Mi interessava lavorarci? Mi interessava, certo, ma non avevo nessuna competenza, né di arte né di arredamento. Di lusso o meno.»

«E lui che disse?»

«È uno che si è fatto da sé. Una brava persona a suo modo, ma non è certamente un raffinato. Disse che non mi voleva per la mia competenza. Disse, riporto testualmente, che ero una figa, avevo una faccia *abbastanza* conosciuta e sapevo come comportarmi con le persone.»

«E tu cosa gli hai risposto?»

«Superando il fastidio per l'*abbastanza* conosciuta gli ho detto che potevamo parlarne, ci siamo visti e insomma, per fartela breve, ho accettato. E ho fatto bene. Non è quello che sognavo per la mia vita, quando studiavo per diventare attrice, ma è un lavoro poco faticoso, nel quale si incontra gente interessante, in un ambiente piacevole. Lo stipendio non è un granché, ma anche le mie pretese si sono ridotte, rispetto al passato. E non devo chiedere i soldi ai miei genitori per provvedere a mio figlio, per pagare il dottore, per andare al cinema o a qualche concerto. A teatro non ci vado, invece. Ancora non credo di riuscire a sopportare il fatto di essere in platea e non sul palcoscenico.»

«Il teatro era la tua passione?»

«Era la mia passione. Ne ho fatto parecchio, sono stata anche Viola nella *Dodicesima notte*, ma diciamocelo con franchezza: ero un'attrice ordinaria. E quando da ragazzina sognavo di fare l'attrice, non sognavo di fare l'attrice *ordinaria*. Per anni ho cercato e trovato ogni tipo di spiegazione per la mia ordinarietà. Quella più ovvia mi è stata chiara solo quando ho smesso, anzi dopo un po' di tempo che ho smesso: non avevo abbastanza talento.»

Roberto si accorse in quel momento che il cameriere zoppicava leggermente e produceva una specie di ticchettio sincopato, che c'era musica in sottofondo, che la porta del ristorante si apriva e si richiudeva con un cigolio sgradevole. Come fosse stata tolta la sordina ai rumori dell'ambiente.

«Adesso ti starai chiedendo per quale motivo abbia smesso. Mi sbaglio?»

«Non ti sbagli.»

«Magari questo te lo racconto la prossima volta. Se corriamo troppo rischiamo di farci male.»

Farci male. Farsi male. Non facciamoci del male. Non fatevi del male, bambini. Mi sono fatto male, mamma. Sto male. Cosa ha fatto di male papà?

Daddy.

Male.

Male.

Parole. Frammenti di vetro, taglienti.

Roberto parlò lentamente scegliendo con cura le poche elementari parole della domanda. Con cautela, come camminasse su un filo o maneggiasse oggetti taglienti e pericolosi.

«Che classe fa tuo figlio?»

«La seconda media ma è un anno avanti. Ne compirà dodici a maggio. Adesso dicono che bisognerebbe lasciarli giocare più a lungo, che non è una buona idea mandarli a scuola troppo presto. All'epoca invece mi dissero che era così bravo, così precoce che era un peccato non fargli guadagnare un anno. Se tornassi indietro lo farei andare a scuola regolarmente. E tu? Moglie, figli, com'è la tua vita?»

Ancora il ticchettio del cameriere claudicante. Molto più forte di prima. Molto forte. Troppo. Solo che adesso il cameriere non era nelle vicinanze. Formicolio. Nervi a fior di pelle. Riflessi sfuggenti. Sei pazzo? Forse, ma in fondo tutti lo siamo. Moglie, no certo. Figlio? No certo. No certo. No certo.

«No. Mai stato sposato.» Sentì la sua voce. Veniva da chissà dove e aveva una inconsueta concretezza. Forse ci sono andato vicino, pensò di dire, tanto per aggiungere qualcosa. Ma non ne aveva voglia.

«E mi hai detto che sei un carabiniere.»

«Sì.»

«Ma una cosa come un capitano, un ufficiale?»

«Sono un maresciallo.»

«Cavolo, impressionante» disse lei con un sorriso ironico. Lo stesso, parve a Roberto, che aveva in quella pubblicità dei preservativi. «Certo, se io penso alla parola maresciallo mi viene in mente un signore con una divisa un po' ridicola, la pancia e i baffoni.»

Lui ebbe un leggero sussulto di fastidio per la *divisa un po' ridicola*. Però questo lo riportò a quel tavolo e a quella conversazione. Una buona cosa.

«Il maresciallo che comandava la stazione in cui ho avuto il mio primo incarico era più o meno così.»

«E tu cosa fai esattamente, come carabiniere?»

Lui cercò di elaborare il più velocemente possibile la risposta. Dire la verità. Mentire su tutta la linea. Dosare verità e bugie. Cioè quello che aveva sempre fatto.

«Adesso a dire il vero nulla. Sono in congedo per motivi di salute. Non so dove mi metteranno quando rientro in servizio. Se mi lasciano rientrare.»

«Perché sei diventato pazzo?» Lo stesso sorriso di prima.

«Perché se ne sono accorti. Ero pazzo anche prima ma lo nascondevo meglio.» Questa gli era venuta bene.

«E prima che se ne accorgessero?»

Per qualche secondo Roberto percepì di nuovo uno spostamento dell'asse di realtà di quella conversazione. La domanda – prima che se ne accorgessero? – tutta interna a una schermaglia scherzosa, gli parve seria e pertinente. Anzi, *era* seria e pertinente. Emma sapeva qualcosa di lui e gliene chiedeva ragione. Sapeva alcune delle cose che aveva fatto e che non aveva confessato mai a nessuno, nemmeno al dottore. Forse sapeva anche alcune delle cose che lui non aveva avuto il coraggio di confessare nemmeno a se stesso. Roberto oscillò paurosamente prima di sottrarsi a quella ventata di follia e di riuscire a rispondere. Poi le coordinate della conversazione ritornarono di nuovo alla normalità.

«Ero in servizio in un reparto investigativo speciale e ho lavorato per molti anni come agente sotto copertura.»

«Che vuol dire? È come un infiltrato fra i criminali?»

«Sì, è proprio quello. In teoria non è una cosa che dovrei raccontare così, ma non credo che tu abbia molte amicizie fra i trafficanti internazionali di cocaina. E poi con quel lavoro ho chiuso per sempre. Anche se mi riammettono in servizio.»

«Perché hai chiuso? Per sempre? C'entra con i problemi che ti hanno portato dal dottore?»

«Direi di sì.» Si stava comportando bene. Non diceva bugie. Si muoveva con circospezione sul crinale sottile che separa la verità dalla menzogna.

Rimasero in silenzio. Roberto guardò in faccia Emma, seguendo la linea che dallo zigomo procedeva verso la bocca a disegnare la guancia. Lei bevve del vino. Si tolse una goccia dalle labbra con la punta del tovagliolo.

«In effetti puoi anche non rispondere. Io ti ho detto di non essere pronta a parlare della mia storia, direi che vale lo stesso per te.»

«Il lavoro sotto copertura è una cosa difficile da raccontare. Reciti una parte, un ruolo. Il problema è che lo devi recitare per lunghi periodi, per mesi, a volte addirittura per anni. Le persone con cui passi la maggior parte del tuo tempo – i criminali – sono le stesse che farai arrestare. Loro ti considerano un collega e a volte un amico, ma tu stai lavorando per mandarle in carcere. È facile perdere l'equilibrio facendo a lungo una vita del genere.»

Bravo. Nessuna bugia. Tutto vero, ma senza fatti specifici, tenendosi a distanza dagli angoli taglienti, evitando di toccare i punti che facevano gridare di dolore.

«In un certo senso anche tu facevi l'attore.»

Roberto rifletté sul significato esatto di quella frase.

«In un certo senso anch'io facevo l'attore, sì» disse infine.

«Raccontami qualche storia del tuo lavoro. Sono curiosissima.»

Roberto stava per dire che era meglio di no, che non era il caso, che era il passato e non valeva la pena tirarlo fuori. Invece disse va bene e cominciò a raccontare.

«Era l'inizio degli anni Novanta, lavoravo a Milano allora. Facevo ancora indagini normali, niente operazioni sotto copertura. Dovevamo fare un'ambientale...»

«Che vuol dire?»

«Un'intercettazione ambientale. Vuol dire che dovevamo piazzare una microspia a casa di un tipo.»

«Perché?»

«Era uno che gestiva uno spaccio in grande stile di ecstasy. Quando c'è da fare un'ambientale il problema è sempre lo stesso. Come entrare a casa, o nell'ufficio, o nel magazzino, o nella macchina del tizio e piazzare le microspie senza che lui se ne accorga. All'epoca usavamo molto un trucco che adesso è andato in disuso. Nel senso che da un certo momento in poi si è sparsa la voce e nessuno ci è più cascato.»

«Che trucco?»

«Ci facevamo aiutare dalla Sip – allora si chiamava ancora così. Gli chiedevamo di bloccare la linea, il soggetto chiamava l'assistenza, ci presentavamo noi, travestiti da operai della Sip e con la scusa dei controlli per verificare la causa del guasto gli piazzavamo la microspia. La installavamo nel telefono perché era più facile nasconderla e alimentarla, ma la captazione era ambientale.»

«No, davvero facevate queste cose?» disse lei sorridendo e sporgendosi in avanti sul tavolo.

Roberto fece di sì con la testa sorridendo anche lui.

***

La linea fu bloccata. Lo spacciatore chiese l'intervento. Un paio d'ore dopo si presentarono a casa sua Roberto e un collega, con le loro tute e i loro tesserini Sip.

«Buongiorno signore, è lei che ha chiesto un intervento di assistenza tecnica?»

Era un tipo grassoccio, indossava una tuta da ginnastica aderente, aveva labbra carnose, pochi capelli, occhi piccoli e sospettosi. L'espressione di uno che crede di sapere sempre come sbrigarsela. L'appartamento era un bilocale arredato con mobili da quattro soldi. C'era puzza di chiuso, di sigarette e di sudore.

«Ho chiamato io, sì. Questo cazzo di telefono è morto da stamattina.»

L'altro carabiniere – si chiamava Filomeno, un nome indimenticabile – prese l'apparecchio, provò a comporre un numero, svitò la cornetta, finse di esaminarne il contenuto, smontò la presa. Aspettava il momento buono per installare la microspia ma quello non gli staccava gli occhi di dosso.

«Non è che mi stanno facendo qualche intercettazione?» chiese a un certo punto lo spacciatore mentre i due carabinieri continuavano a fingere operazioni tecniche.

Vorremmo fartela, l'intercettazione, ma se non ti distrai per qualche secondo non possiamo mettere questa cazzo di microspia, pensò Roberto. In quel momento gli venne l'idea.

«Potrebbe anche essere» disse con tono circospetto. Sentì su di sé gli occhi dell'altro carabiniere che si stava chiedendo se il suo collega fosse impazzito.

«E come si fa per saperlo?»

Roberto lo guardò con l'espressione di chi sta decidendo se può fidarsi dell'interlocutore.

«Di regola non si potrebbe, ma...»

«Ma?»

«In teoria noi potremmo controllare. Però è illegale, ed è molto rischioso.»

«Io potrei pagarvi.»

Roberto lasciò passare ancora qualche secondo, come se stesse calcolando i rischi e i benefici.

«Quanto?» chiese l'altro carabiniere, che aveva capito il gioco.

«Centocinquantamila adesso e centocinquantamila quando mi date la risposta.»

Roberto scosse la testa.

«Trecentomila da dividere in due? Per rischiare la galera? Non se ne parla nemmeno.»

«Quanto volete?»

«Cinquecento subito e cinquecento dopo il controllo.»

Lo spacciatore guardò prima Roberto, poi Filomeno, poi di nuovo Roberto.

«Lo avete già fatto. Arrotondate così, vero?» disse infine con il tono di chi conosce gli uomini e sa che tutti hanno un prezzo. Poi andò in camera da letto a prendere i soldi. Quando ritornò, due minuti dopo, la cimice era già piazzata e cinquecentomila lire in banconote di vario taglio – chiaramente proventi dello spaccio – passarono di mano per poi finire in un verbale di sequestro. Nel pomeriggio Roberto ripassò per dargli la risposta. La linea era di nuovo funzionante e non c'era nessuna intercettazione, poteva stare tranquillo.

E soprattutto *parlare* tranquillo con i clienti che andavano a trovarlo a casa sua, pensò Roberto andandosene con altre cinquecentomila lire in biglietti spiegazzati.

Il seguito dell'indagine fu facile. Bastarono due settimane di intercettazioni ambientali e qualche pedinamento per arrestare il grassoccio con alcune migliaia di dosi pronte per lo smercio nelle discoteche della città e della provincia.

«Potrei stare delle ore ad ascoltare queste storie. Ti piaceva fare quel lavoro, vero?» chiese Emma quando lui ebbe finito.

Più o meno la stessa domanda del dottore. Solo che adesso non lo metteva più in difficoltà.

«Il lavoro di indagine può essere anche piuttosto noioso. Passi ore ad ascoltare telefoni, a trascrivere conversazioni, a osservare i movimenti di qualcuno che non fa un bel niente per tutto il giorno, o magari a raccogliere materiale di archivio per compilare le schede degli indagati. La cosa che personalmente odiavo di più. Però, poi, certo, arrivano momenti in cui pensi che non vorresti fare nessun altro lavoro al mondo.»

E altri momenti in cui invece ti chiedi se, e quanto, ne valga la pena. La frase si materializzò nella sua testa ma non si trasformò in voce.

Emma fece un piccolo sbadiglio, coprendosi la bocca.

«Andiamo a dormire, si sta facendo tardi» disse allora Roberto.

Lei soffocò lo sbadiglio.

«No, no, scusa. Non era uno sbadiglio di noia. È che sono solo un po' stanca, ma non ho per niente voglia di andare a dormire. Ti va di fare ancora un giro? È arrivata la primavera, prendiamo la moto e ci facciamo un po' di Roma notturna.»

«Vai in moto?»

«Ormai solo di tanto in tanto. Prima la usavo molto

più spesso. Ma ci sono un sacco di cose che prima facevo e che adesso faccio raramente, o mai. Però stasera, con quest'aria, sembra proprio il momento adatto. Che dici?»

Ce l'avevo anch'io una bella moto.

Bellissima, era. E facevo anche delle grandissime cazzate con un gruppo di imbecilli come me. Andavamo in autostrada di notte e tiravamo fino a duecento all'ora, a volte anche di più. Ci ho anche fatto degli inseguimenti da pazzi, in moto, quando lavoravo all'antirapina. Avrei potuto schiantarmi ogni singolo secondo, durante quelle corse o quegli inseguimenti. Ma io non ci ho mai pensato. Mai. Non avevo paura di niente e la morte non esisteva.

Poi invece mi è venuta paura di tutto. Non ci avevo mai pensato con tanta chiarezza come in questo momento. Mi è venuta la paura della morte proprio quando non mi importava più niente della mia vita. Ho smesso di andare in moto. Ho smesso di fare un sacco di cose. Quando vai in moto – come ci andavo io – sei sempre molto vicino al confine. Un attimo prima sei potente e invincibile, un attimo dopo sei un corpo inerte, una bambola spezzata, con gli occhi aperti e la bocca socchiusa di stupore.

Ce l'avevo anch'io una bella moto.

Roberto pensò tutte queste cose insieme, fece un respiro profondo e sentì un brivido.

«Va bene, andiamo.»

Diciotto

Emma uscì dal garage in moto già con il casco in testa. Appeso al manubrio ne aveva uno per Roberto.

«Spero che ti vada» disse lei indicandoglielo.

Roberto infilò il casco con un certo sforzo, salì, si attaccò ai lati della sella, sentì il profumo dei capelli di Emma. Poi la moto partì.

Emma guidava con sicurezza, comunicando un senso di tranquilla padronanza. Non correva ma dava l'impressione di poterlo fare in ogni momento, mantenendo il controllo del mezzo.

Solcarono le strade quietamente e la moto, a quella velocità, era quasi silenziosa. Scivolava fluida fra le macchine, accompagnava le curve, e negli angoli più bui sembrava ingoiare la notte con il fanale.

Ogni tanto, quando si fermavano ai semafori, Emma diceva qualcosa ma Roberto non riusciva a distinguere le parole. Era aggrappato alle maniglie e guardava le strade che gli passavano accanto senza riuscire a riconoscerle. A malapena si accorse, a un certo punto, che stavano attraversando il Tevere lasciandosi le luci di Castel

Sant'Angelo sulla destra. Si fermarono una decina di minuti dopo e Roberto scese dalla moto con la sensazione che fosse stata la sua prima volta. In un certo senso era proprio così, pensò guardandosi attorno. Erano sul Gianicolo.

Il quieto fragore del Fontanone profumava di erba tagliata e di fiori sconosciuti. Poche macchine. Luci sfocate e rassicuranti in lontananza. Un piccolo branco di cani randagi. Passarono tranquilli, seguendo il capo, si infilarono nel varco di una scaletta e furono inghiottiti dalla città che scintillava di sotto.

Guardando i cani Roberto pensò alle ore d'insonnia trascorse per strada a fumare e a camminare attraverso la notte. I cani randagi, appunto; i gabbiani, gli ultimi clienti che escono dai ristoranti aperti fino a tardi, i poliziotti, i carabinieri, i netturbini, i camioncini con i giornali appena usciti dalle tipografie, il silenzio dell'ora in cui non c'è proprio nessuno, i primi che escono a correre nel freddo e nel buio, i primi che escono per andare al lavoro e poi gli altri, e poi il giorno dove nascondersi era più difficile.

«Sono banale?» chiese lei.

Roberto si scosse.

«Perché banale?»

«Non lo so. Essere venuta in questo posto...»

«Se ti dico una cosa non ci credi.»

«Vai.»

«Questa è solo la seconda volta nella mia vita che vengo qui.»

«Non ci credo, hai ragione. Com'è possibile?»

Lui si strinse nelle spalle. C'erano città, nel mondo, in cui aveva trascorso poche settimane e che conosceva molto meglio di Roma.

«E adesso te ne dico un'altra.»

«Vai» disse lei con l'espressione di una che sta cominciando a fare un gioco dal quale salteranno fuori delle sorprese.

«Non sono mai entrato nel Colosseo e non ho mai visitato i Fori Imperiali. E in realtà non ho mai visitato quasi nessuno dei posti famosi di Roma.»

«Scherzi?»

«No.»

«Non è possibile. La gente viene da tutto il mondo solo per vedere questi posti. Tu abiti a qualche centinaio di metri e non ci sei mai stato.»

A Roberto non sembrava così importante. O forse lo era, ma lui non era capace di distinguere le cose importanti da quelle che lo erano meno.

«Ti ci porto io, un giorno di questi. È inammissibile. Prendiamo la moto un sabato pomeriggio di sole e facciamo *Vacanze romane* al contrario.»

«Vacanze romane? In che senso?»

«Il film con Audrey Hepburn e Gregory Peck. Non mi dire che non lo hai mai visto.»

Roberto non l'aveva mai visto ma sapeva vagamente di cosa si trattava e mentì con un gesto di noncuranza. Certo che l'aveva visto, che diamine, anche se era passato un sacco di tempo e non si ricordava quasi niente.

Mentre diceva quella bugia pensò che non ricordava gran parte dei film che aveva visto nella sua vita. C'era differenza fra il non aver mai visto un film, o visitato un luogo, o letto un libro e l'averli visti, o visitati, o letti senza ricordare niente?

«E già che ci siamo: dicono che assomiglio a Audrey. Tendo a non dare troppa importanza alla cosa ma il fatto che tu non lo abbia ancora notato mi secca un po'.»

Roberto la guardò e non vide nulla che ricordasse Audrey Hepburn. Però mentì di nuovo e disse che sì, certo, come aveva fatto a non accorgersene, c'era eccome, la somiglianza.

«Da ragazzina ero pazza di gioia per questo. Mi sembrava un segno del destino, una predestinazione.»

Le parole di Emma rimasero a lungo sospese sulla fontana e poi furono inghiottite dal rumore dell'acqua.

«Con chi sta tuo figlio adesso?»

«Con la nonna, che è sempre contenta quando glielo chiedo. In realtà Giacomo ormai è abbastanza grande e potrei lasciarlo da solo, ma non riesco ad abituarmi all'idea che cresca così in fretta. Fra l'altro lui per certi aspetti è molto più grande della sua età. Per i libri che legge, per la musica che ascolta, per le cose che scrive. Anche per quello che dice. Quando riesco a farlo parlare.»

«Che vuoi dire?»

«È un ragazzino molto taciturno e molto introverso. Non è facile parlare con lui.»

Parve sul punto di aggiungere qualcosa ma all'ultimo si trattenne, come bloccata da un pensiero inatteso. Fece un gesto d'impazienza con la mano prima di riprendere a parlare.

«Comunque ti dicevo di mia madre. È stata contenta che le chiedessi di stare con Giacomo perché non esco quasi mai la sera ed è preoccupata per me, perché sono sola, non ho un fidanzato, o un compagno, chiamalo come vuoi. Credo che non si smetta mai di essere preoccupati per i figli. A volte questa idea mi sgomenta. Vogliamo proteggerli da tutto, ma non possiamo farlo per sempre.»

Vogliamo proteggerli.

I nostri figli.

Vertigine.

Calma. È tutto sotto controllo. Calma.

Ascolta la sua voce. Concentrati sulla sua voce e respira.

Calma.

«Giacomo si trova bene con la nonna. Meno con il nonno. Mia madre è ancora giovane, mio padre è parecchio più grande di lei. Sono medici tutti e due, adesso lui è in pensione e lei lavora ancora. Lui non sta invecchiando bene. Era un bell'uomo – in realtà lo è ancora – e non tollera l'idea della vecchiaia. L'ha tradita tante volte e lei lo sapeva. Mi sono chiesta spesso per quale motivo sia rimasta con lui e non ho mai trovato una risposta. O meglio, l'ho trovata e non mi piace, allora cerco di non considerarla. Adesso le posizioni si sono invertite: è lei che ha un altro, anche lui sposato. Non lo esibisce ma nemmeno fa nulla per nasconderlo. Dice delle bugie, ma senza preoccuparsi troppo che siano credibili, senza stare troppo attenta a non essere scoperta. Anzi, credo che mio padre sappia tutto e faccia finta di niente. Perché ha paura che se le dice qualcosa lei possa andarsene. Lei è gentile con lui, ne ha cura ed escono ancora insieme qualche volta. Però i rapporti di potere sono cambiati e, adesso, il più debole è mio padre. La vita è piuttosto spietata.»

In lontananza, da qualche parte della notte, risuonarono due brevi urla, quasi dei lamenti.

«Sai che sono stupefatta?»

«Perché?»

«Ti ho raccontato cose... molto private. Perché mi fido di te?»

«Non lo so» rispose Roberto stringendosi nelle spalle.

«Forse mi fido perché, nonostante l'apparenza, sembri fragile. Quando sei salito sulla moto ho capito che avevi paura. Se non equivochi quello che sto per dire: mi ha fatto tenerezza.»

«Avevo paura?»

«Perché, non è vero?»

Roberto avrebbe voluto raccontarle di sé, ma sapeva di non esserne capace.

Però era stanco di sentirsi così solo e disperato e colpevole.

Colpevole.

Non si smette mai di essere preoccupati per i figli.

Vogliamo proteggerli da tutto.

«Il rumore della fontana mi ha stancato. Andiamo in un altro posto, più silenzioso?»

Roberto riprese contatto, a fatica.

«Sì, certo.»

Si misero i caschi, scivolarono via nell'oscurità per

qualche centinaio di metri, finirono seduti su una panchina fra il monumento di Garibaldi e il cannone.

«Mi dai un'altra sigaretta?»

Roberto tirò fuori il pacchetto dalla tasca della giacca e glielo porse.

Fumarono con calma. L'aria era mite, di primavera avanzata. Il racconto di Emma arrivò di sorpresa.

«Mi sono sposata perché ero rimasta incinta. Lui faceva lo sceneggiatore.»

Disse un cognome come se Roberto dovesse conoscerlo. Ma Roberto non l'aveva mai sentito e se mai gli era capitato di sentirlo, lo aveva dimenticato.

«Fu un errore e lo sapevo benissimo. C'era la frase di uno scrittore – non ricordo chi – che lui amava citare. Più o meno fa così: l'amore è inventare l'altro con tutta la nostra fantasia e con tutte le nostre forze, senza cedere di un millimetro alla realtà. Purtroppo noi avevamo già ceduto parecchi metri alla realtà, quando scoprimmo che stavamo per avere un bambino. La cosa più giusta sarebbe stata tenere il bambino e lasciarci. La cosa che tutti si sarebbero aspettati era che tenessimo il bambino e continuassimo a vivere insieme, senza essere sposati. Lui però disse che forse potevamo sposarci e io dissi di sì. Senza pensare. O forse invece pensando. Pensando che questo avrebbe reso solide cose che non lo erano. O pensando al contrario che quello era il modo migliore per accelerare la fine.»

Roberto rimase in silenzio. Le parole che gli venivano in mente sembravano tutte stupide e banali.

Comunque – continuò Emma – si sposarono, il

bambino nacque e lo chiamarono Giacomo. Tre anni dopo lei aveva conosciuto un altro e avevano preso a frequentarsi. Di nascosto, naturalmente, ma era ovvio che prima o poi suo marito se ne sarebbe accorto. E infatti se ne accorse e non fu contento. Liti, urla, finto fair play, decidi pure cosa fare, se vuoi vado via, non metterla così teatrale, troppo comodo, sono cose che capitano a tutti, sarà successo anche a te, mi dispiace deluderti ma no, non mi è mai successo, sì ho questa banale abitudine di stare alle regole, ti detesto quando assumi quell'aria di superiorità morale, ah mi rendo conto che la parola *morale* non è tra le tue preferite. Insomma, dopo qualche giorno piuttosto spiacevole lei pensò che non aveva voglia di far saltare tutto per una storia di scopate. Allegre e divertenti ma solo scopate. Promise che avrebbe interrotto la relazione, lui ci credette e per un po' di tempo – forse quasi due anni – entrambi fecero finta che le cose fossero andate a posto. Il posto era evidentemente quello sbagliato. Tutto era sbagliato. Così un giorno, com'era inevitabile, incontrò un altro e ci andò.

«Lo so che ci faccio la figura della troia, no, no scusami, non mi interrompere lo so ma non è vero e contemporaneamente è vero. Certo sentivo il bisogno, o il desiderio o insomma quello che vuoi, ma al tempo stesso volevo fare qualcosa che spaccasse tutto. Mi sentivo in trappola e cercavo un modo per scappare da questa trappola, o meglio ancora, per farla a pezzi.»

Lo schema dell'altra volta si era ripetuto, quasi uguale. Solo: niente urla, niente liti, niente tira e molla. Lui era semplicemente andato via di casa. Per giorni e giorni non aveva risposto al telefono, non aveva chiamato, non aveva fatto sapere dove stava, non aveva parlato con il bambino.

La voce di Emma era diventata, man mano che proseguiva nel suo racconto, sempre più neutra, sempre più incolore, sempre più monocorde. Non si alzava né si abbassava. Sembrava l'acqua limacciosa di certi canali, quella che devi guardare con attenzione per vedere se si muove o è ferma e morta come sembra.

«Esattamente due settimane dopo, senza che ci fossimo mai sentiti da allora, senza che avesse mai risentito il bambino, lui ebbe un incidente stradale. Era in motorino, fu investito e morì sul colpo, senza soffrire. O almeno così mi dissero i medici. Mi dai un'altra sigaretta?»

Se la fumò per intero prima di raccontare come tutto era andato in pezzi. Hai voglia a dire che era una storia finita, hai voglia a dire che non c'è nessuna relazione fra quello che hai fatto e quello che è successo. Hai voglia a dire – a cercare di dirti – che è una spaventosa tragedia ma che poteva accadere in qualsiasi momento. La voce che dice tutte queste cose viene coperta da un'altra molto più forte, potente e insieme capace di insinuarsi nelle fibre più profonde della tua anima. Questa voce dice una cosa molto semplice, e micidiale: è colpa tua.

È colpa tua.

È colpa tua.

È colpa tua.

La tua mente comincia a mettere in moto pensieri che non ti aspettavi. Che amavi quell'uomo. Che era l'unico uomo che avessi mai amato davvero e che questo non ti ricapiterà mai più.

Che se non fosse andato via da casa non gli sarebbe successo niente.

Che lo hai ucciso.

Che hai privato tuo figlio di suo padre.

Quelle ultime parole colpirono Roberto in piena faccia, come uno schiaffo.

«Ti prego.»

«Scusa» disse lei, come ridestandosi da un delirio.

«Scusa» disse di nuovo dopo avere acceso un'altra sigaretta, spegnendola subito dopo, senza fumarla.

«Non ti racconto i dettagli dei mesi successivi. Ho l'impressione che tu non ne abbia bisogno. È stata mia madre a portarmi dal nostro dottore. È un suo amico e lei dice che ce ne sono pochi in giro così bravi. Mi ricordo le sue parole quando mi accompagnò da lui, prima di lasciarmi davanti al portone.»

«Cosa disse?»

«Era una frase molto inconsueta per mia madre, che è una donna poco espansiva, pratica, anche nel modo di esprimersi. Disse: "Lui ti aiuterà ad attraversare il fuoco e a sopravvivere".»

Perché gli stava raccontando quelle cose? E le stava davvero raccontando a lui o quella era solo un'occasione per buttarle fuori, e chiunque fosse stato lì sarebbe andato bene comunque? La guardò per cercare una risposta ma il viso di Emma era del tutto inespressivo.

Per qualche secondo le sue parole persero significato e diventarono solo suoni, fruscii della notte e un viso mobile nella penombra.

Quando Roberto tornò ad ascoltarla lei stava parlando di suo figlio.

«Giacomo scrive benissimo, scrive cose che sembrano di un adulto, ha preso da suo padre.» Si interruppe, come colpita da una intuizione improvvisa o un pensiero molesto. «Vedi, non riesco a dire il suo nome, se non mi sforzo di farlo deliberatamente. *Suo padre.*»

«Come si chiamava?» disse Roberto, e mentre lo diceva gli parve che la domanda avesse un senso profondo, un ritmo perfetto e lo riportasse al centro di quello che stava accadendo quella notte. Lei respirò profondamente, prima di rispondere.

«Gianluca. Si chiamava Gianluca.»

«A me i nomi composti non sono mai piaciuti» aggiunse come se fosse una cosa di importanza decisiva. Forse lo era.

«Stava scrivendo un romanzo. Faceva lo sceneggiatore ma il sogno della sua vita era scrivere un romanzo. È tutto nel suo computer, credo. Ho provato ad accenderlo e lui mi ha chiesto una password. È stato un sollievo. Volevo leggere quello che aveva scritto, ma ne avevo anche una paura terribile. Ne avevo paura per diversi motivi. Ovviamente avevo paura di trovare cose che non avrei voluto scoprire su di lui e su di me. Ma sai, avevo soprattutto paura di scoprire che il romanzo era brutto. Comunque, per fortuna, l'esistenza della password ha risolto il problema. È impossibile accedere a quel romanzo – a quel pezzo di romanzo o a quello che è – e dunque fine.»

Roberto pensò che le cose non stavano così: penetrare in un computer protetto da una comune password è molto semplice. Ma non era quello che Emma avrebbe voluto sentirsi dire, e lui lo sapeva. Così rimasero in silenzio sulla panchina, mentre i rumori di fondo della notte occupavano il posto della loro conversazione.

Dopo un poco lei parve sul punto di fare un gesto. Avvicinarsi, allungare una mano. Come se un comando fosse partito dal cervello e fosse arrivato fino alla periferia e lì fosse stato intercettato da un altro impulso, che aveva annullato tutto, quando l'esecuzione dell'ordine era già cominciata.

«Mi è venuta in mente *Stairway to Heaven*. Era la sua canzone preferita. Le volte che mi è successo in passato dovevo scacciarla dalla testa prima che mi prendesse il pianto. All'inizio le lacrime erano più veloci di me. Poi sono diventata brava e riuscivo a fermare le note prima di provare qualsiasi emozione. Adesso è arrivata e non me ne sono accorta. L'ho sentita e c'è voluto un poco perché mi rendessi conto di cosa era. E non mi ha fatto piangere. Mi ha messo un po' di malinconia, ma niente a che fare con la disperazione di un tempo.»

Guardò l'orologio.

«Forse è ora di andare. Domani lavoro, anche se inizio alle dieci, non troppo presto. Una cosa che mi manca di quando facevo l'attrice, e Giacomo ancora non era nato, è la possibilità di svegliarmi tardi, di dormire la mattina.»

«Arriviamo al tuo garage, lasciamo la moto e poi ti accompagno a casa a piedi» disse Roberto.

«No, mi piace l'idea di essere io ad accompagnarti a casa.»

Roberto pensò che anche a lui piaceva.

Mentre tornavano percorrendo la città deserta, Roberto pensò alle loro due vite come a due traiettorie che erano iniziate più o meno dallo stesso punto, avevano attraversato mondi diversi e adesso erano lì, misteriosamente incrociate.

«Chissà com'è la tua casa.»

«Impresentabile.»

«Non viene mai nessuno a trovarti?»

«Qualche volta passa un amico, o un collega. Ma non direi che è una casa molto frequentata.»

«Niente fidanzate, amiche, simili?»

Roberto fece no con la testa sorridendo. Proprio il sorriso di uno sorpreso dalla domanda, come se fosse un po' bislacca, mentre invece è perfettamente normale. Sei un uomo solo e in buona salute. Sarebbe naturale che vedessi delle donne. Eppure la domanda ti sembra fuori luogo, bizzarra.

«No, niente fidanzate, niente amiche, niente simili.»

«Va bene, capisco dal tono della tua risposta e dalla tua espressione che non devo insistere su questo punto. Allora buonanotte.»

«Buonanotte. Grazie» disse impacciato Roberto, ma lei non andò via.

«Perché ti ho raccontato tutte queste cose?»

«Forse sta passando.»

«Forse sta passando. Hai ragione. Forse ho attraversato il fuoco e sono sopravvissuta.»

Roberto rimase a guardarla, silenzioso.

«Non dici niente?»

«Forse hai attraversato il fuoco e sei sopravvissuta, è così. Forse si sopravvive» disse alla fine.

Diciannove

Scivolò nella stanza passando fra la porta socchiusa e lo stipite. Sembrava più magra dell'ultima volta ma forse era solo un effetto della penombra. Doveva esserci qualche finestra non chiusa, perché Roberto sentì un brivido piuttosto forte quando lei si sedette sul letto. Certo, era una visita inattesa, e al momento non era chiaro come fosse entrata. Non aveva mai avuto la chiave di quella casa. Anzi, a pensarci bene, non era mai stata in quella casa, e dunque come aveva fatto ad arrivare fin lì? Forse era il caso di chiederglielo. Solo che parlare sembrava terribilmente faticoso. Forse quella stanchezza dipendeva dal fatto che era sul punto di addormentarsi.

Lei non sembrava intenzionata a rompere il silenzio. Era seduta e aspettava. Doveva essere molto dimagrita, si disse Roberto. Quasi non pesava. Quando si era seduta sul letto lui non aveva sentito il suo peso sul materasso. Di nuovo una folata fredda. Chissà quale finestra era aperta. Forse era stata proprio lei a lasciarla aperta, quella finestra. Forse era entrata proprio di là. Si sarebbe dovuto alzare per andarla a chiudere, ma era così stanco, così terribilmente stanco.

Nemmeno gli riusciva di sollevare un braccio. Non gli riusciva di muovere un solo muscolo, era come se il suo corpo fosse stato colpito da una paralisi.

Poi lei parlò, o meglio lui sentì la sua voce. La penombra gli impediva di vedere le sue labbra muoversi e quella voce veniva da un punto imprecisato della stanza. Era un po' diversa dall'ultima volta.

Era *diversa* dall'ultima volta.

Non mi chiedi nulla.

È che non trovo le parole.

È da molto che non parli in spagnolo.

Sto parlando in spagnolo? Non me n'ero accorto.

Non te n'eri accorto.

Ma è maschio o femmina?

È maschio.

Come lo hai chiamato?

Come mio padre. Come, se no?

Ma cosa sa di *suo* padre?

Sa che è morto.

Ma io non sono morto.

Lei rise producendo il suono di un congegno meccanico. A Roberto parve di sentire un leggerissimo odore di uova marce.

Sei morto, certo che sei morto.

Non avevo altra scelta.

Lo so, nessuno ha un'altra scelta.

Com'è lui? Com'è la vostra vita? Raccontami.

Non esiste. La nostra vita.

Cosa vuol dire?

Niente esiste. Per te siamo un sogno.

Io non volevo.

Nessuno vuole niente.

Ho paura.

Hai ragione, è spaventoso.

Vorrei vedere il bambino.

È lì.

Dove?

Dove non puoi vederlo.

Perché?

Non lo vedrai mai.

Perché?

Perché io non esisto e nemmeno tu esisti.

Roberto si sollevò sul letto, a fatica, e allungò la mano per toccarla, o per scuoterla, o non sapeva per cosa. La mano le passò attraverso e lei abbassò lentamente lo sguardo, seguendo la mano di lui che la trapassava. Roberto vedeva la testa di lei piegata, i suoi capelli, e insieme, in una innaturale sincronia, vedeva la sua faccia, il suo sorriso, che poi si spalancò in una risata e diventò la cosa più spaventosa di tutte.

Mentre Roberto pensava che sarebbe impazzito per la paura, all'improvviso tutto scomparve e la stanza ritornò normale.

Normale.

Giacomo

Oggi Ginevra è tornata a scuola ma questa non è una buona notizia.

È entrata in ritardo, quando la prima ora era già cominciata. Appena l'ho vista ho capito che qualcosa non andava. Era vestita in modo trascurato, come non era mai successo da quando la conosco, ma soprattutto quello che mi ha colpito è stata la sua espressione. L'ho osservata per tutte le cinque ore di lezione. Era assente, aveva lo sguardo fisso, non sentiva quando qualcuno – non io, che non ne ho avuto il coraggio – le rivolgeva la parola e non ha sorriso una sola volta per tutta la mattina.

La professoressa di italiano l'ha beccata tre volte distratta durante la spiegazione e alla fine le ha messo una nota. È stata la prima volta che le ho visto prendere una nota, in questi due anni.

Alla fine della quinta ora è uscita senza parlare con nessuno, si muoveva come una drogata e sembrava non sapesse da che parte era l'uscita. Fuori non c'era nessuno ad aspettarla con motorini o roba simile. Se n'è andata da sola, dopo essere passata come una sonnambula fra i ragazzi che chiacchieravano e facevano rumore davanti al portone della scuola.

Sono tornato a casa con una brutta sensazione, chiedendomi cosa poteva esserle successo. Ho pensato che avrei voluto incontrare Scott, subito, per sapere la sua opinione e avere un consiglio sul da farsi. Ne ho sentito il bisogno così tanto che a un certo punto ho pensato di provare ad addormentarmi per sognarlo e potergli parlare.

Mi sono steso sul letto, ho chiuso gli occhi e ho cercato di dormire, concentrandomi sulle immagini del parco, e sul muso di Scott.

Non c'è stato niente da fare però: sono rimasto sveglio e quando alla fine mi sono alzato, mi sentivo molto triste e solo.

Venti

«Si chiamano illusioni ipnagogiche.»

«Illusioni come?»

«Illusioni ipnagogiche, sono una specie di allucinazioni. Si verificano nella fase di transizione dalla veglia al sonno che, appunto, viene detta fase ipnagogica. In questa fase – che può durare da qualche secondo a diversi minuti – è molto difficile per il soggetto distinguere il sogno dalla realtà. Come è successo a lei. Ha avuto anche l'impressione di non potersi muovere, di essere vigile ma paralizzato?»

«Sì, proprio così. Ero sveglio, avevo gli occhi aperti e li muovevo per guardarmi attorno, potevo parlare – in effetti credo di aver parlato, di aver dialogato con questa persona, insomma con questa apparizione – ma non potevo muovermi. Sì, paralizzato è la parola esatta.»

«È un'altra caratteristica delle esperienze ipnagogiche, la paralisi. Nel complesso può essere un'esperienza decisamente fastidiosa.»

Il dottore fece una pausa piuttosto lunga, guardando Roberto negli occhi.

«In certi casi può essere un'esperienza spaventosa.»

E dopo qualche minuto di silenzio: «Chi era la persona che ha visto?».

Ovvio che gli facesse quella domanda. Non avrebbe dovuto raccontare cosa gli era successo se non voleva sentirla, quella domanda. Così chiaro.

Roberto prese una penna dalla scrivania, tolse il cappuccio, osservò la punta come se fosse una cosa molto interessante, poi rimise a posto il cappuccio e qualche secondo dopo ripeté la sequenza. E poi di nuovo. E poi ancora, di nuovo. Il dottore lo lasciò fare.

«Perché non mi dice niente?» chiese Roberto interrompendo di colpo il ritmo ossessivo di quel movimento.

«Temo che sia lei a dovermi dire qualcosa, se ne ha voglia.»

Roberto riprese a giocherellare con la penna. Passarono alcuni minuti.

«Non ha risposto alla mia domanda.»

«Forse perché non mi va. Forse perché non ho voglia di parlarne.»

«Parlare di cosa?»

«Appunto, non ne ho voglia.»

«Io invece credo che lei ne abbia molta voglia ma che non riesca a trovare il coraggio. Ma forse è arrivato il momento.»

Aveva ragione, come sempre, e Roberto lo sapeva. Sentì la rabbia crescere e dilagare.

«Ma di che cazzo sta parlando?»

«Me lo dica lei, di cosa stiamo parlando.»

Il tono del dottore rimase calmo, ma con una nota

di durezza che Roberto trovò insopportabile. Sentì che stava per perdere il controllo. Si alzò e spazzò via tutto quello che c'era sulla scrivania. Il dottore era immobile, non cercò di fermarlo, nemmeno indietreggiò con la sedia. Non disse nulla.

«Sa una cosa di cui sicuramente non ho voglia? Non ho voglia di continuare a sentire le sue stronzate e dunque me ne vado. Non credo che tornerò.»

Ebbe l'impulso di prendere a calci la scrivania ma riuscì a trattenersi. Se ne andò via, senza voltarsi. Lo stesso però gli parve di vedere il dottore che, fermo al suo posto, lo guardava uscire e scomparire.

**

Le giornate si erano allungate, pensò Roberto uscendo dal palazzo. C'era ancora luce e invece gli sembrava che la volta precedente fosse buio, alla stessa ora. Anche se adesso era uscito con almeno mezz'ora di anticipo. Poi si disse che era assurdo, che la volta precedente la luce doveva esserci per forza, visto che era aprile inoltrato. Perché allora si ricordava il buio e la strada illuminata come era d'inverno? Ci avrebbe pensato più tardi, adesso era confuso. Molto, molto confuso. E sentiva una specie di formicolio fortissimo che partiva dalla schiena e arrivava fino all'inguine.

«Ho i nervi a fior di pelle» disse ad alta voce.

Il formicolio diventò quasi insopportabile mentre Roberto camminava pensando che non aveva nessuna voglia di camminare.

C'era un taxi in un parcheggio che non aveva mai notato, a poche centinaia di metri dallo studio. L'autista leggeva una rivista. Senza riflettere Roberto entrò nell'auto. L'autista poggiò la sua rivista sul sedile di destra e si girò per salutare il cliente. Si muoveva con calma, in modo placido. Era un signore anziano. Sembrava anche troppo anziano per continuare a lavorare. Stando all'aspetto doveva avere una settantina d'anni o poco meno. Roberto si chiese se un tassista potesse lavorare ancora a quell'età.

«Buonasera dottore, dove la porto?»

Già. Dove?

«Mi faccia visitare Roma.»

Il vecchio tassista lo guardò con vago stupore. Visitare Roma, in che senso? Sorrise, in attesa. Educatamente.

«Andiamo al Colosseo e ai Fori Imperiali, per cominciare.»

«Ma è la prima volta che viene a Roma, dottore?»

«Sì.»

«Io la porto, dottore, ma è tardi. Quando arriviamo staranno per chiudere e non la fanno entrare.»

«Non importa. Ci fermiamo, do un'occhiata da fuori. Poi magari ci torno un'altra volta.»

L'uomo lo guardò ancora per qualche secondo. Poi accennò appena il movimento di stringersi nelle spalle, si voltò, mise in moto e partì.

Il movimento della macchina, il fatto che ci fosse una meta provvisoria da raggiungere, calmarono un poco Roberto.

Una volta, su una di quelle riviste che trovi in aereo,

aveva letto un reportage dedicato ai luoghi di transito. L'autore parlava del confortevole senso di precarietà che si prova nei luoghi in cui si arriva e da cui si parte. Gli aeroporti, soprattutto, ma anche le stazioni ferroviarie, quelle degli autobus, i motel nei quali ti fermi solo per una notte, che non hanno niente attorno, a parte un supermercato, un fast food e qualche casa in cui ti chiedi se sia davvero possibile abitare. Quell'articolo parlava dell'irrequietezza e della nostalgia precoce per i posti che si devono lasciare molto presto.

Quando lavorava sotto copertura Roberto era provvisorio dovunque e in qualsiasi momento. Per questo si sentiva a suo agio in quelle situazioni; per questo riusciva quasi ad affezionarsi alle assurde routine di quella esistenza fittizia. La sua condizione era la provvisorietà e questo, paradossalmente, lo faceva sentire non precario.

Quando tutto era andato in pezzi anche quell'ambiguo equilibrio era saltato. La prospettiva di rimanere nello stesso posto, con la stessa identità, con un lavoro normale gli aveva fatto percepire, con improvvisa chiarezza, l'assenza di punti di riferimento, nella sua vita.

Adesso era seduto in un taxi, senza una ragione o un obiettivo e neppure un centro di gravità, e attraversava le vie di una città dove aveva vissuto per anni e che non aveva mai davvero conosciuto. Provò un'improvvisa sensazione di pace.

Imboccarono la via dei Fori Imperiali e di fronte comparve il Colosseo.

«Vuole che mi fermi, dottore?»

Disse di sì, ma a bassa voce e dovette ripeterlo per farsi sentire.

Il tassista accostò e Roberto scese dalla macchina. Casa sua era solo a qualche centinaio di metri e tutto quello che lo circondava gli era del tutto sconosciuto.

Si sentì a testa in giù, sospeso nell'aria, il mondo capovolto. E da quella posizione ebbe l'impressione di cominciare a capire. Non sapeva esattamente cosa, ma gli sembrava di cominciare a capirlo.

A testa in giù gli parve di *vedere* quello che gli stava attorno. Il mondo capovolto acquistava una nitidezza, una trasparenza, una intelligibilità che prima non esistevano. Gli archi e le volte che si inseguivano disegnando finestre di cielo azzurro scuro nascondevano una soluzione. Il cielo prendeva la forma che gli davano le linee del Colosseo. Roberto in realtà non vedeva il Colosseo, vedeva il cielo disegnato dal Colosseo. Quella percezione alterata gli diede un senso di totale sospensione del tempo.

«Dottore, scusi...»

«Sì?»

«Non ci possiamo stare troppo qua. Se passano i vigili mi fanno pentire di essere nato e di essere diventato tassista.»

Roberto ebbe un moto di simpatia per il vecchio; risalì a bordo e quello ripartì, procedendo verso il Colosseo, per girarci attorno.

«Veramente è la prima volta che viene a Roma, dottore?»

Roberto fece di sì col capo, quasi credendoci. L'altro lo scrutò nello specchietto retrovisore.

«Lei è italiano, sì?»

Stesso gesto del capo.

«Ma quanto tempo ha a disposizione per fare questo giro?»

Quanto tempo aveva a disposizione? In generale, quanto tempo aveva a disposizione? Si sentì rispondere: «Ho un paio d'ore. Poi devo andare a un appuntamento».

«Le piace il cinema, dottore?»

Qualcuno risponde di no, a una domanda del genere? Qualcuno dice che il cinema non gli piace? Sì, gli piaceva il cinema, perché quella domanda?

«Visto che vuole fare un giro veloce di Roma le faccio una proposta.»

«Che proposta?»

«Vedere la città in un modo un po' diverso.»

«Cioè?»

«Facciamo un giro passando nei punti in cui sono stati girati i film più famosi ambientati a Roma. Sono alcuni dei posti più belli della città e così almeno abbiamo un'idea per questo giro. Abbiamo... come si dice? Abbiamo un criterio. Che ne pensa?»

Abbiamo un criterio. Avere un criterio. È una buona cosa avere un criterio. Criterio. I posti del cinema, con un criterio. Doveva per forza significare qualcosa.

«E perché no?»

Il tassista sorrise, si raddrizzò un po' sul sedile e quando riprese a parlare il suo tono era leggermemente diverso.

«Allora cominciamo con *Vacanze romane*. Se li ricorda

Gregory Peck e la Hepburn che si fanno il giro in Vespa? Una delle fotografie sui manifesti e le locandine è fatta proprio qua, mentre percorrono la via dei Fori Imperiali. Anche se allora c'era un po' meno traffico, diciamo.»

Vacanze romane. La Hepburn. Un criterio. Tutti dicono che assomiglio alla Hepburn. Succedono per caso, queste cose?

Roberto non diceva niente e il tassista sbirciò nello specchietto retrovisore.

«L'ha visto il film, vero?»

«Ho visto qualche scena. Spezzoni, non ho mai visto il film per intero.»

«Eh dottore, ma questo non va bene. Mio padre ci fece la comparsa e io sono stato sul set anche se non me lo ricordo tanto bene perché ero piccolo. A casa ho una foto di papà con la Hepburn. Ammazza quanto era bella. Se la ricorda vero?»

In realtà non se la ricordava benissimo perché alla sua faccia si sovrapponeva quella di Emma, che assomigliava alla Hepburn, diceva lei. Roberto si immaginava le poche scene che conosceva del film con un'attrice che era Emma; e si ricordava la serata di qualche giorno prima come se l'avesse trascorsa con Audrey Hepburn, anche se la sua faccia era molto sfocata, molto poco riconoscibile.

Al tassista disse solo che sì, certo, se la ricordava bene. Il che in un certo senso era vero. Come capita spesso era solo un pezzo della verità.

«Lo sa cosa fece Gregory Peck mentre giravano il film?»

«Cosa fece?»

«Lui era già una star e la Hepburn invece era una giovane attrice semisconosciuta. Il nome di Gregory Peck doveva essere più grande nei titoli, era normale. Dopo aver visto come recitava la Hepburn, chiese che i loro due nomi fossero uguali. Disse che la Hepburn avrebbe vinto l'Oscar e lui non voleva fare la figura del cretino, stando davanti alla vincitrice del premio Oscar nei titoli del film.»

«E poi lo prese l'Oscar?»

«E come no? Vinse l'Oscar e poi un sacco di altri premi. E sempre Gregory Peck disse che quei mesi passati a Roma furono i più felici di tutta la sua carriera.»

Roberto non disse nulla, ma il tassista non ci fece caso. Aveva preso una sorta di rincorsa a parlare della sua passione, cioè il cinema, e niente l'avrebbe fermato.

«Certo quelli erano anni diversi. La guerra era finita da poco. C'era una voglia di vivere, un'allegria, una bellezza che adesso non ci sono più. Siamo tutti tristi, adesso. Anche se magari c'abbiamo più cose. Anch'io sono più triste. Però quando sono triste so come fare. Mi rivedo uno di quei grandi film e mi sento un altro. Comunque qua a destra ci lasciamo il Campidoglio, dottore. Lassù hanno girato una scena di *Souvenir d'Italie*, quando ancora le auto ci potevano arrivare. Adesso guardi dietro, lo vede il Vittoriano? La vede l'illusione ottica, che sembra che diventa più grande? Come all'inizio di *Nuovo Cinema Paradiso*, che ha vinto l'Oscar, lo sa vero? Qui siamo a piazza del Popolo, qui hanno girato l'incontro fra Gassman e Manfredi, la famosa scena di *C'eravamo tanto amati*. A Fontana di Trevi non ci posso arrivare con il taxi ma lì ci hanno girato di tutto. La scena di Anita Ekberg che ci fa il bagno, naturalmente, ma anche quella di Audrey Hepburn che si fa tagliare i capelli da un parrucchiere sulla piazza e quella di Totò che vende la fontana a un turista americano. La scalinata, Trinità dei Monti, Satta Flores che ripete la scena della Corazzata Potëmkin...»

Durò un'ora e mezza, forse, e alla fine – dopo un passaggio al quartiere Coppedè dove Dario Argento aveva girato *L'uccello dalle piume di cristallo* – il vecchio tassista depositò Roberto a poche centinaia di metri da dove l'aveva caricato.

«Grazie dottore» disse prendendo i soldi, «magari mi capitava tutti i giorni un cliente come lei.»

Ventuno

Sceso dal taxi guardò le finestre del palazzo. Quella dello studio era ancora illuminata, con un accenno di bagliore azzurrino. Doveva essere accesa solo la lampada sulla scrivania.

Fu a quel punto che si chiese cosa fare. Cosa dire al dottore, al citofono? Paradossalmente non era quello che aveva fatto, il modo in cui era uscito dallo studio qualche ora prima, a preoccuparlo di più. Era il non avere un appuntamento. Ecco, senza un appuntamento era difficile, se non impossibile parlare con il dottore. Questa era la regola, mai formulata in modo esplicito ma sempre rispettata.

Poteva aspettarlo lì sotto. E poi? Scusi tanto, ho perso la calma. Ok, grazie per le scuse e ci rivediamo in studio lunedì prossimo, adesso se non le dispiace me ne vado a casa. Oppure grazie, ma sarà meglio che si cerchi un altro strizzacervelli e, per piacere, passi al più presto dalla mia segretaria per saldare le ultime sedute.

In quel momento il portone si aprì e sbucò una signora forse indiana o bengalese. Era piuttosto sovrappeso e cercava di uscire trascinandosi dietro quattro o cinque sacchetti della spazzatura e un borsone a tracolla. Roberto le tenne aperto il portone, quella gli sorrise, lo ringraziò e sgusciò via con insospettata agilità.

Come se stesse per fare qualcosa di vietato, Roberto seguì la donna con lo sguardo per qualche secondo e poi, assicuratosi che non si voltasse, si infilò nel palazzo. Salì le scale, arrivò sul pianerottolo e suonò il campanello, senza darsi il tempo di pensare.

Il dottore aprì la porta dopo una trentina di secondi, lo salutò con un cenno del capo e poi gli disse di entrare. Roberto rimase sulla porta.

«Mi dispiace per... prima.»

«Venga dentro» ripeté il dottore.

Entrarono nello studio. La scrivania era di nuovo in ordine. Oltre a tutto il resto c'era un bicchiere con del liquido ambrato. Il dottore tirò fuori dal mobile alle sue spalle un altro bicchiere e una bottiglia senza etichetta.

«Ne vuole un po'? È un brandy artigianale, distillato da un mio amico.»

Roberto stava per dire no grazie, e invece disse sì. Il dottore versò un po' di brandy nel bicchiere di Roberto, ne aggiunse un po' anche nel suo come per pareggiare il livello e poi si sedette.

«Per stasera lasciamo perdere i farmaci però.»

«Se lei mi autorizza io li lascio perdere per sempre.»

«Credo che non ci manchi molto.» Bevve un sorso e Roberto fece lo stesso. Il sapore del brandy gli ricordò quello del cordiale militare, che aveva bevuto l'ultima volta forse venticinque anni prima.

«Quando lei è andato via è arrivata una telefonata della persona che ha l'appuntamento successivo, l'ultimo del pomeriggio. Non poteva venire e così, d'un tratto, la mia giornata lavorativa era terminata. Spesso sottovalutiamo il potere ansiolitico della routine. Trovandomi all'improvviso senza nulla da fare, con lei che era andato via in quel modo...»

«Mi spiace, io...»

«Per piacere, non si scusi. Dicevo: rimasto solo, senza nulla da fare per il resto del pomeriggio, ho sentito il bisogno di chiamare mio figlio. Ma il suo telefono non era raggiungibile, come sempre. Non mi richiamerà.»

«Non sapevo che avesse un figlio.»

«Ha trent'anni. In realtà quasi trentuno, fra qualche giorno è il suo compleanno. È nato quando io ne avevo ventisei e forse ero troppo giovane, non ero ancora pronto. Ammesso che esista un momento in cui uno è pronto. Ha abbandonato l'università e io ho sempre pensato che lo abbia fatto per dispetto nei miei confronti. Per togliersi il gusto di fare a pezzi le aspettative che avevo su di lui. Naturalmente questa è una interpretazione tutta centrata sul mio narcisismo. Magari la spiegazione più semplice è che non gli piaceva studiare o non gli piacevano gli studi che aveva scelto. Comunque adesso lavora come impiegato in una società finanziaria. Non è esattamente quello che avevo immaginato per lui. Ma a dire la verità non ho dedicato molto tempo a immaginare qualcosa per lui e forse il problema è qui. Non ci vediamo mai e io non so nulla di lui. Nulla di cosa pensa, di cosa gli piace, di cosa detesta – a parte me –, delle sue idee politiche, se ne ha. Non so se legga dei libri – temo di no –, se vada al cinema, se ascolti musica. Non so nemmeno se ha una fidanzata. Ci sentiamo solo se gli telefono io, lui non lo fa mai. E quando gli telefono lui è infastidito. Gli chiedo come va e lui mi dice che come al solito va bene e in uno sforzo di buona educazione mi chiede se anch'io sto bene e io dico che sì, anch'io sto bene e sento la sua insofferenza, sento che non vede l'ora di chiudere la conversazione e io invece vorrei chiedergli se ha voglia di incontrarmi, di parlare un poco per davvero, ma non trovo mai il coraggio e le nostre telefonate finiscono sempre in modo triste e squallido.»

Bevve un sorso di brandy, e poi un altro, e poi svuotò il bicchiere.

«Ovviamente questa conversazione non dovrebbe avere luogo. Quando lei ha suonato alla porta io non avrei dovuto aprirle o, in alternativa, avrei dovuto dirle che ci saremmo rivisti al prossimo appuntamento. Tutto fuorché invitarla a bere un goccetto con me e a sorbirsi le mie confessioni di padre fallito.»

Rimasero in silenzio a lungo.

«Anch'io penso spesso a mio figlio» disse infine Roberto.

Il dottore lo guardò.

Ventidue

«Non ricordo se le ho detto qual era il mio nome in codice.»

«No, qual era?»

«Mangusta.»

«È quell'animale, come una specie di faina, che riesce a uccidere il cobra, vero?»

«Sì, quasi tutti noi avevamo nomi di animali. Lo sa perché la mangusta riesce a uccidere il cobra e i serpenti in generale?»

«Credo sia velocissima e prenda il serpente alla gola prima che lui riesca a morderla.»

«È così, ma a volte succede che il cobra riesca a iniettarle il veleno. Alla mangusta non succede niente lo stesso.»

«Vuol dire che questi animali hanno una specie di immunità al veleno dei serpenti?»

«Sì. Hanno un meccanismo di difesa – ha a che fare con dei recettori chimici – identico a quello dei serpenti. Quello per cui i serpenti non vengono avvelenati e uccisi dalle tossine che loro stessi producono.»

«Chi le ha dato quel nome in codice?»

«Un capitano dei nostri. Ma non sapeva tutta questa storia del veleno e dell'immunità. E nemmeno io la sapevo. È una cosa che ho scoperto anni dopo, leggendo un articolo. Lì per lì mi sono limitato a registrare l'informazione. Poi mi è tornata in mente, tanto tempo dopo, e mi è parso che avesse un significato. La mangusta, anche se le si dà la caccia, è come il serpente: può vivere con il veleno in corpo.»

Il dottore parve sul punto di dire qualcosa. Poi ci ripensò.

«Per molti anni ho vissuto con i criminali e loro si fidavano di me, anzi mi ammiravano, e io lavoravo per rovinarli, anche quando a volte eravamo diventati amici. E sa perché quel lavoro mi riusciva così bene?»

«Me lo dica.»

«Perché ero come loro. Per esempio mi piaceva rubare. Facendo l'agente sotto copertura hai una disponibilità di soldi e di mezzi che un normale carabiniere nemmeno si sogna. Hai un sacco di modi per mettertene in tasca una buona parte o usarli per scopi diversi da quelli della missione. È quello che facevo io, non provavo nessun senso di colpa e anzi mi piaceva. Mi piaceva molto.»

Roberto svuotò il bicchiere e chiese se poteva averne ancora un po'.

Il dottore aprì un cassetto della scrivania, tirò fuori un pacco di biscotti al cioccolato e lo spinse a metà strada fra loro.

«Forse è il caso di mangiare qualcosa.»

Mangiarono i biscotti al cioccolato e bevvero ancora del brandy, senza parlare per un paio di minuti.

«Il mio lavoro era essere un altro. E non è affatto male essere un altro, di tanto in tanto: fa sentire liberi. Il problema sorge quando devi essere un altro per la maggior parte del tuo tempo. Il problema sorge quando devi essere un altro per sentirti te stesso. E quando non sei un altro sai di essere fuori posto. Non so come spiegarlo.»

«Non avrebbe potuto spiegarlo meglio.»

«E comunque la compagnia dei criminali mi piaceva. Ovviamente per portare a termine il mio lavoro dovevo fare in modo che si fidassero di me ma io lo so che non mi limitavo a quello. Io volevo la loro approvazione, volevo *piacergli*.»

«Mi fa un esempio?»

«Quando sapevo che uno dei capi aveva detto che ero un bravo ragazzo, o un tipo in gamba, o uno simpatico che ci sapeva fare, ero contento. Molto di più di quando cose simili le dicevano i miei colleghi o i miei superiori. Prima ancora di incastrarli, io volevo sedurli.»

«Fino a quando è durata?»

Roberto cercò di sorridere, ma gli venne una smorfia.

«Le dà fastidio se accendo un sigaro?» chiese il dottore.

«No, per niente. E io posso fumare una sigaretta?»

«Però non raccontiamola ad altri miei pazienti, questa seduta fuori ordinanza, va bene?»

Roberto ebbe la sensazione nettissima, anzi la certezza, che il dottore sapesse di lui ed Emma. Fu una sensazione tranquillizzante, come un segnale che le cose andavano nella direzione giusta.

Il dottore prese da un cassetto della scrivania – lo stesso dei biscotti – una scatola di toscani. Ne estrasse uno, lo tagliò a metà con un temperino, versò ancora un po' di brandy nei bicchieri e accese il sigaro. Roberto accese la sua sigaretta.

«C'è un punto che vorrei chiarire, prima che lei continui a raccontare.»

«Sì?»

«Se adesso ne avesse l'occasione, le piacerebbe ancora rubare? Se ne avesse l'occasione – alle stesse condizioni, con la garanzia dell'impunità – le piacerebbe tornare a violare le regole?»

Roberto si raddrizzò sulla sedia, sorpreso. Non era la domanda che si aspettava e non aveva una risposta pronta. Dovette elaborare, per qualche minuto.

«Credo di no. Non posso essere sicuro ma credo di no.»

«Quando si è accorto – quando ha cominciato ad accorgersi – che non le piaceva più?»

Roberto si accese un'altra sigaretta, con il mozzicone della prima. Un gesto che non faceva da tanto tempo.

«Non saprei dirlo con sicurezza, però ci sono alcuni episodi, tutti degli ultimi anni, che mi ritornano in mente sempre insieme, uno dopo l'altro.»

«Allora forse *sa* dirlo con sicurezza.»

«Forse sì, adesso che mi ci ha fatto pensare.»

E poi, dopo una lunga pausa, passata a ordinare i pensieri e i ricordi: «Sì, è così. Tre episodi, in cui mi sarei dovuto accorgere che la macchina non funzionava più, che l'ingranaggio si stava rompendo e che probabilmente era il caso di smettere».

«Allora me li racconti. E se per lei è lo stesso, me li racconti in ordine cronologico, dal più lontano al più recente.»

***

Era in Messico, in una cittadina quasi al confine con l'Arizona, e stava lavorando in coppia con un agente della polizia federale, infiltrato anche lui.

C'era stata una cena di lavoro nella villa di un boss locale, avevano mangiato e bevuto e definito i comuni affari. Adesso erano lì a fumare e a bere e a raccontarsi storie, più o meno vere, più o meno inventate.

Il padrone di casa era un certo Miguel, detto El Pelo. Si era fatto il trapianto dei capelli, se li tingeva e si tingeva anche i peli del pube. Si vantava di andare solo con ragazzine che avessero meno di vent'anni e diceva che questo serviva a mantenerlo giovane.

A un certo punto El Pelo fece un cenno a uno dei suoi guardaspalle, quello uscì e poco dopo rientrò accompagnato da tre ragazzine. In realtà erano quasi delle bambine, una soprattutto. Truccate pesantemente e vestite come delle puttane ma sotto il trucco e gli abiti si vedeva benissimo che non avevano più di dodici anni. La più piccola probabilmente anche meno. Nella grande sala da pranzo si alzò un brusio eccitato.

El Pelo sorrideva soddisfatto. Era orgoglioso della

sua ospitalità: un perfetto padrone di casa che sa cosa vuol dire una vera *fiesta* e non si limita a offrire vino e cibo e liquori. Con un gesto regale disse che in onore dei suoi invitati aveva comprato tre vergini. Materiale mai toccato da nessuno, fino a quella sera. Il suo tipo di merce preferito. Concluse il suo breve discorso dicendo agli ospiti di servirsi – *que aprovechen*.

Il federale messicano si accorse che stava per accadere l'irreparabile: Roberto stava per fare o dire qualcosa che avrebbe mandato tutto all'aria. Gli sibilò all'orecchio di non fare cazzate. Non potevano farci niente. Niente di niente, disse. Solo farsi scoprire e ammazzare. Roberto sembrava non sentire. Il collega dovette stringergli il braccio fino a ficcargli le unghie nella carne.

«Roberto, non fare cazzate» ripeté. «Pensa che presto li faremo arrestare tutti, questi figli di puttana. E pagheranno anche per questo.»

La scena davanti a loro era spaventosamente grottesca. Pance pelose, facce sudate e stravolte, ghigni bestiali. C'erano quelli che si accalcavano sui corpi delle bambine e altri che assistevano compiaciuti alla scena, masturbandosi.

Dopo un poco, quando già qualcuno aveva fatto la stessa cosa e dunque non c'era il rischio di dare nell'occhio, Roberto e il federale messicano uscirono nel patio, accesero le sigarette e fumarono senza dire una parola.

Roberto si passò una mano sul viso, con violenza, quasi volesse togliersi un materiale appiccicoso e tenace. La faccia del dottore era immobile, il colorito terreo, le labbra serrate a formare una cicatrice.

«Ho assistito allo stupro, al macello di tre bambine e non ho potuto farci niente. E sa qual era la cosa peggiore?»

«Qual era?»

«Le ragazzine erano, come dire, consenzienti. Non era uno stupro nel senso della violenza fisica. Loro... *collaboravano* e la cosa spaventosa erano i loro sorrisi e i loro occhi. Cercavo di non guardare ma finivo sempre per incontrare gli occhi della più piccola. No. Incontrare non è la parola giusta. Lei non guardava niente, i suoi occhi erano aperti ma come quelli di una morta.»

Non riuscì ad andare avanti. Ricordò i morti ammazzati che aveva visto nella sua vita. Hanno tutti gli occhi aperti, i morti ammazzati. Aperti di terrore o di stupore o tutte e due le cose insieme. Ai morti si chiudono gli occhi perché sono la cosa più insopportabile da vedere, aperti sul nulla, e insensati. Pensò che il ricordo di quella sera in Messico era muto. Non riusciva a ricordare le voci, o le grida, o le risate, o i grugniti. Solo una insopportabile meccanica di corpi e una teoria di facce deformate, come in un inferno silenzioso.

La voce del dottore interruppe l'incubo.

«Mi racconti il secondo episodio.»

Roberto mosse la testa, con il gesto di chi si risveglia

bruscamente e ha bisogno di qualche secondo per tornare alla realtà.

«Sì. Ero a Madrid e stavo trattando un affare molto grosso in cui erano coinvolti colombiani, spagnoli e italiani. Gli italiani non erano i tradizionali trafficanti, mafiosi tipo Sacra Corona Unita o camorra. Erano – come posso dire? – ragazzi normali che erano riusciti a entrare nel grande giro. Un fatto non comune. È possibile che lei abbia sentito parlare dell'operazione, insomma di quando li arrestammo, perché la stranezza della cosa fece un certo rumore. Comunque sia, ero a Madrid con uno di questi ragazzi, avevamo mezza giornata libera e lui mi chiese se volessi accompagnarlo a visitare un museo dove si trova un quadro enorme, famosissimo, di Picasso. Il quadro si chiama *Guernica* – sicuramente lei lo conosce – ma non mi riesce di ricordare il nome del museo.»

«È il Reina Sofia.»

«Ecco sì, il Reina Sofia. Roberto – si chiamava come me – era già stato a vedere *Guernica* più volte e quando passava da Madrid ci tornava sempre. Era un ragazzo simpatico, con un sacco di interessi. Sembrava, non so, un professore universitario, un compagno di scuola bravo. Il tipo che finisce il compito prima degli altri e poi passa la copia. Mi piaceva parlare con lui e anche a lui, credo, piaceva parlare con me. Diceva che gli sembravo diverso da quelli con cui dovevamo avere a che fare per il nostro lavoro. Intendeva il nostro lavoro di trafficanti. Diceva che di me si fidava.»

«Perché faceva il trafficante?»

«Chi lo sa. Veniva da una una buona famiglia, era andato all'università, gli mancavano pochi esami alla laurea. Parecchie volte ho pensato di chiederglielo, perché faceva il trafficante, ma non l'ho mai fatto.»

«Temeva di metterlo in allarme?»

«Sì, non è il genere di domanda che si fa, in quegli ambienti. E comunque se glielo avessi chiesto credo di sapere cosa mi avrebbe risposto.»

«Cosa?»

«Avrebbe detto che non c'era niente di male a commerciare in cocaina, niente di immorale. Avrebbe detto che non c'era una vera differenza fra le droghe, il fumo, gli alcolici. Solo che le prime sono vietate e gli altri no. Se qualcuno mi dicesse oggi una cosa del genere credo che gli darei ragione.»

«Ci andaste al Reina Sofia?»

«Sì, ci andammo e lui mi spiegò un sacco di cose su *Guernica*. Non mi ricordo quasi nulla però, a parte la faccenda del Minotauro come simbolo del male e della bestialità.»

Roberto si interruppe. Serrò le labbra, percorso da un brivido, come per una febbre improvvisa.

«Qualche mese dopo lo feci arrestare assieme a tanti altri. Si è preso quattordici anni e credo sia ancora dentro. Tutto grazie a me, il suo amico. Quello di cui si fidava.»

***

Il terzo episodio era accaduto a Panama.

Roberto era ospite nella fattoria di un personaggio

collegato al cartello colombiano di Cali. Il tizio era uno molto importante e la fattoria era un posto da pazzi: c'erano campi da tennis, una piscina olimpica coperta e un'altra enorme all'aperto, con le onde artificiali, un campo da calcio di dimensioni regolamentari con l'erba innaffiata tutti i giorni e addirittura le gradinate. C'era anche un finto vulcano che produceva eruzioni a comando.

Sul campo di calcio ci giocavano vere squadre di professionisti, invitate e pagate dal padrone di casa. Le partite erano organizzate per intrattenere gli ospiti. E anche tutto il resto era lì per stupire i visitatori: ufficiali di polizia, sindaci, politici, professionisti e, naturalmente, criminali e mafiosi di mezzo mondo.

Mentre Roberto era lì arrivò un carico di nuove armi. Fucili a pompa, mitragliatori d'assalto e pistole di ogni genere. Bisognava provarle e qualcuno disse che sarebbe stato più divertente farlo su bersagli viventi. Nella periferia del paese, a qualche chilometro dalla fattoria, si aggiravano dei gruppi di cani semidomestici e quel qualcuno aggiunse che i cani erano i bersagli ideali per provare le armi. Così uscirono a bordo di un paio di jeep cariche di persone e di armi e andarono alla ricerca dei cani. Alla fine li trovarono, scesero dalle macchine, le armi furono caricate e distribuite. Diedero una pistola anche a Roberto e quasi istintivamente lui mise il colpo in canna.

Qualcuno rideva, qualcuno faceva battute, qualcuno disse di non gridare troppo perché i cani potevano scappare. Ma gli animali non ci pensavano proprio a scappare. Erano abituati agli uomini e se ne stavano lì a qualche decina di metri, tranquilli e fiduciosi. Alcuni erano distesi e dormivano, altri frugavano nella spazzatura, i cuccioli giocavano.

Poi il padrone di casa alzò il fucile – naturalmente toccava a lui cominciare –, prese la mira senza fretta e infine sparò. La prima bestia colpita fu un cagnone fulvo, dall'aspetto pacifico, che sembrava una specie di Labrador. La fucilata lo colpì nella parte posteriore del corpo, le zampe gli cedettero e stramazzò a terra. Subito dopo scoppiò un inferno di fuoco e di esplosioni e di latrati e guaiti e urla e risate e odore di sparo e fumo. Alcuni cani caddero subito, colpiti dalla prima scarica. Gli altri furono braccati e forse solo un paio riuscirono a scappare. Poi gli spari cessarono e Roberto si ritrovò assordato in mezzo al fumo, con la pistola in mano. Solo allora si rese conto di avere sparato anche lui, come tutti gli altri.

Ricaricando le armi si mossero in ordine sparso verso il punto in cui era caduta la maggior parte delle bestie.

Un tizio soprannominato El Chico per via della sua faccia da bambino spazzò via con una raffica di MI6 i cuccioli agonizzanti. Altri presero la mira sui superstiti che scappavano. Alcuni si accanirono sugli animali già morti.

Il cane colpito per primo, quello che assomigliava a un Labrador, era ancora vivo. Doveva avere l'anca spaccata, lanciava dei guaiti laceranti e cercava disperatamente di rimettersi in piedi annaspando con le zampe anteriori.

Roberto gli si avvicinò cambiando il caricatore della sua pistola, mise il colpo in canna e gli sparò in testa. Sangue e materia cerebrale gli schizzarono sui pantaloni mentre il corpo della bestia veniva scosso da un ultimo sussulto.

***

«Mi vergogno come se fosse successo ieri. Non potevo impedire quel massacro più di quanto potessi impedire lo stupro delle tre bambine. Ma nessuno mi ha obbligato. Potevo sparare a terra, in aria, non sparare per niente. Io ho scelto di partecipare.»

«Ha sparato al Labrador per non farlo soffrire.»

«Sono un vigliacco e una carogna. Un uomo di merda. Mi riusciva così bene di lavorare fra i delinquenti perché sono come loro. Il mio posto è fra loro, io...»

«Ora basta!» La voce del dottore arrivò come uno schiaffo, rapido e preciso.

Roberto ebbe un sussulto, proprio come per una percossa. Abbassò il mento sul petto. Dopo qualche secondo rialzò la testa e prese a ispezionare in modo insensato il soffitto della stanza. Osservò gli scaffali più alti delle librerie, poi un sottile fregio di stucco che correva parallelo al perimetro del soffitto, una trentina di centimetri sotto, poi una piccola crepa nell'intonaco sulla quale rimase concentrato per parecchi secondi, come se proprio lì sotto si nascondesse la soluzione di tutto.

Alla fine tornò a rivolgere lo sguardo verso il dottore. Aveva gli occhi umidi e rossi. Tirò su col naso cercando di farlo con garbo. Il dottore gli porse un pacchetto di fazzoletti di carta.

«Però non erano queste le cose di cui *non* voleva parlarmi oggi pomeriggio, vero?»

«No, non erano queste» disse Roberto asciugandosi gli occhi.

Giacomo

Stamattina mi sono svegliato prestissimo, con una gran sete, e mi sono alzato per andare a bere un bicchiere d'acqua. Quella che avevo sul comodino l'avevo già bevuta tutta nella notte senza nemmeno svegliarmi, come mi capita sempre. Bevo nel sonno e la mattina trovo sempre il bicchiere vuoto e non mi ricordo mai di aver bevuto. Da piccolo ero convinto che ci fosse un fantasma che veniva a bersi la mia acqua.

Quando sono entrato in cucina ho visto che c'era mamma, seduta vicino alla finestra aperta. Mi dava le spalle e non mi ha sentito arrivare. Guardava fuori e piangeva.

Era da un sacco di tempo che non la vedevo piangere e sono rimasto paralizzato. Avrei voluto abbracciarla e dirle che non c'era motivo di essere così triste, perché io ero lì. Non sono stato capace – non sono *mai* capace – e invece ho avuto paura che si girasse, mi vedesse e si arrabbiasse perché l'avevo vista piangere.

Allora sono andato via in silenzio, sono rientrato nella mia camera e mi sono seduto sul letto.

Ero sicuro che lei non mi avesse né sentito né visto. Invece dopo qualche minuto è entrata nella mia camera e anche lei si è seduta sul letto, vicino a me. Non piangeva più; tirava solo un po' su col naso. Si era lavata i denti – si sentiva l'odore del dentifricio – ma mi sono accorto lo stesso che aveva fumato una sigaretta. O forse anche più di una. Mi ha preso la mano e siamo rimasti lì, nella stessa posizione, con una mano nell'altra. Dalla porta socchiusa entrava la luce del corridoio.

«A volte sono un po' triste» ha detto senza cambiare posizione. Io ho fatto sì con la testa. Non sapevo cosa dire, o forse sapevo cosa avrei dovuto dire ma non sapevo come dirlo. Mi sono chiesto come sarebbe stata la nostra vita se papà non fosse morto. Ho pensato che la vita è molto ingiusta, mi è venuto da piangere e ho fatto un grande sforzo per trattenermi.

«Sai, quando si diventa adulti a volte si ha paura del tempo che passa. È una cosa difficile da spiegare, ma più si cresce più il tempo accelera e sembra che si consumi più velocemente. È questa la cosa che fa paura.»

Mi ha guardato per vedere se la stavo seguendo. Io ho fatto sì anche se non capivo bene quello che stava dicendo.

«A volte quando ero ragazza incontravo degli amici dei nonni che magari non mi vedevano da qualche anno. Persone che nemmeno mi ricordavo. Tutti dicevano sempre che era incredibile, ero diventata una donna, come passa il tempo. *Sembra ieri* che eri solo una bambina. Mi facevano venire i nervi, quei discorsi. Mi sembravano delle tali cazzate...» si è interrotta sulla parolaccia. Mamma sta sempre molto attenta alle parolacce. Dice che non è solo una questione di buona educazione e di non essere volgari, e che il modo in cui parliamo influenza il modo in cui pensiamo. Non ne sono sicuro, ma sospetto che questa fosse una cosa che diceva papà.

«Scusa, Giacomo. Mi è scappata. Quando si è stanchi o tristi capita. Comunque volevo dire questo: quando sentivo quelle frasi, tanti anni fa, mi sembravano delle fesserie. Adesso invece capisco.»

Mi è sembrato che volesse aggiungere qualcosa, ma non l'ha fatto. Forse ha pensato che era troppo complicato per uno della mia età. Allora mi ha abbracciato e mi ha stretto forte, e ho sentito il suo odore di mamma, di quando ero piccolo, e siamo rimasti così, fino a quando la tristezza non è un po' passata.

Ventitré

«Lavoravo con un agente della DEA, infiltrato come me, e in collegamento con la polizia spagnola e i reparti speciali della polizia colombiana.»

«La DEA sarebbe l'Agenzia antidroga americana?»

«Sì. Spesso è difficile distinguere uno dei loro agenti infiltrati da un vero trafficante. Ma credo si potesse dire esattamente la stessa cosa di me. Lui si chiamava Phil e non mi era piaciuto per niente fin dall'inizio. Aveva qualcosa di... non trovo la parola, in inglese direi *rotten*...»

«Marcio.»

«Marcio, sì. Mi fece un'impressione così negativa che nella fase preparatoria dell'operazione pensai seriamente di chiedere che mi sostituissero.»

Roberto si fermò a riflettere, chiedendosi cosa sarebbe successo se avesse dato ascolto a quell'impulso. Lasciò perdere quasi subito.

«Ovviamente non lo feci. Uno degli obiettivi dell'indagine era individuare una rete di appartenenti alle forze di polizia e alle autorità di dogana – italiani, spagnoli, americani – a libro paga dei trafficanti. Gente intoccabile, fino ad allora. E proprio per questo motivo, durante tutta l'operazione i rapporti con la mia squadra di copertura – i colleghi che seguivano il mio lavoro e dovevano intervenire per eventuali emergenze – furono ridotti al minimo. Ogni contatto poteva essere pericolosissimo.»

«Quanto è durata l'operazione?»

«Più di un anno e mezzo. In Colombia ci sono stato quasi ininterrottamente per almeno un anno, in assoluto il periodo più lungo che ho passato in Sud America. Avevo casa a Bogotá, abitavo lì, ci sono stato sei mesi di seguito, senza mai rientrare. La conosco molto meglio di Roma, e mi piaceva starci. Mi piacevano un sacco di cose, di Bogotá.»

«Per esempio?»

«Prima di tutto il clima. È vicina all'equatore ma si trova a duemilaseicento metri di altezza. Non fa mai veramente caldo e neppure freddo. Le differenze fra le stagioni sono minime, è come una continua primavera. Poi mi piaceva la città vecchia – La Candelaria –, un posto ancora pericoloso ma bellissimo. I tassisti ti dicevano sempre, quasi ossessivamente, di chiudere gli sportelli con la sicura e a volte, di notte, avevi l'impressione che delle piccole bande di fantasmi si materializzassero nelle vie, pronti a colpire per poi scomparire di nuovo.»

«Ma lei era armato?»

«No, ma la maggior parte delle persone che frequentavo lo erano. Comunque non ho mai avuto problemi, anche quando giravo da solo e disarmato. A Bogotá trovi cose che non ti aspetti. Per esempio: c'è un incredibile sistema di tram – il TransMilenio, una specie di metropolitana di superficie – che funziona come un orologio, ti sembra di essere a Stoccolma o a Zurigo. Poi ci sono le strade chiuse al traffico dove non puoi neppure parcheggiare l'auto. Uno si immagina una capitale del Sud America – e in particolare Bogotá, che ha una pessima reputazione – come un posto in cui le macchine sono una sull'altra, parcheggi in doppia e tripla fila, come succede qui a Roma. Be', io abitavo in un appartamento al quindicesimo piano in un quartiere residenziale e di notte aprivo la finestra, l'aria era sempre fresca e mai fredda, mi accendevo una sigaretta, guardavo le strade vuote e provavo un senso di tranquillità. Mi piaceva molto.»

«Non l'avrei detto.»

«È un posto sorprendente. Hanno una biblioteca nazionale nel quartiere della Candelaria e loro dicono che è la più visitata del mondo.»

Roberto si interruppe. Si stropicciò gli occhi con le punte delle dita; si massaggiò le tempie.

«Mi diceva di questa biblioteca.»

«Sì. In realtà io non ci sono mai entrato, l'ho solo vista da fuori. Me ne ha parlato una persona...»

D'un tratto Roberto ebbe la sensazione di parlare in una lingua che conosceva poco. Non trovava le parole in italiano mentre invece gli venivano frasi compiute in inglese e in spagnolo. Durò qualche decina di secondi, poi le cose tornarono al loro posto.

«Una ragazza. Fu lei a parlarmi della biblioteca. Aveva quasi vent'anni meno di me ed era la figlia di uno di quelli su cui stavamo lavorando. La conobbi a casa di suo padre e dopo due giorni sembrava che ci conoscessimo da sempre. Non mi era mai successa una cosa del genere.»

«Era bella?»

«Non era solo bella. Era intelligente, era profonda, era piena di passione. E poi era simpatica, mi faceva ridere, mi faceva sentire un uomo migliore di quello che sono. Era la persona più straordinaria che io abbia mai incontrato.»

«Cosa faceva?»

«Studiava, stava per laurearsi in letteratura e non c'entrava nulla con quello che faceva suo padre. Quando capì che io ero in affari con lui – cioè quasi subito – cominciò a parlarmi della possibilità di cambiare vita. Diceva che le sarebbe piaciuto andare via di là, venire in Italia. Avremmo potuto aprire un negozio, un piccolo albergo, qualsiasi cosa per fare una vita normale.»

«E lei cosa diceva?»

«Io dicevo che sarebbe stato bello. E come un pazzo, pensavo davvero che le cose in qualche modo si sarebbero aggiustate e avremmo potuto farlo.»

«Mi dice il suo nome?»

Roberto lo fissò stupito. Il dottore restituì lo sguardo, in attesa.

«Adesso che lei mi fa questa domanda mi rendo conto che probabilmente non l'ho mai chiamata per nome. Non ci chiamavamo per nome. Ci dicevamo quelle cose che si dicono gli innamorati e che poi uno si vergogna a ripetere. Io la chiamavo *amore* o *tesoro*, in italiano. Le piaceva sentirmi parlare in italiano. Ho avuto bisogno di qualche secondo per ricordarmelo, il suo nome. Si chiamava Estela.»

«Perché l'imperfetto?»

«Scusi?»

«Perché dice *si chiamava*?»

Roberto mosse la testa istintivamente indietro e di lato, come se stesse per ricevere uno schiaffo o un pugno che arrivava e volesse attutirne l'effetto.

«Non ci ho fatto caso. No, non è morta... non credo. Non lo so perché ho parlato al passato.»

«È lei la persona del sogno?»

«Sì.»

Lunga pausa. Come un riepilogo definitivo, una silenziosa, rapida e conclusiva resa dei conti.

«Avrei dovuto evitare, naturalmente. Ma all'inizio mi dissi che era solo un'avventura – ne avevo avute altre durante le missioni –, anche se tutto diceva che questa era una cosa diversa. Da qualunque altra mi fosse mai capitata. Non ho mai amato una donna come ho amato lei.»

E poi dopo qualche minuto di pausa, dietro a immagini sovrapposte che non rispettavano le regole del tempo: «Fu uno scivolamento continuo e incontrollabile. Continuavo a fare il mio lavoro – raccogliere informazioni, trasmettere informative, organizzare trasporti di cocaina e preparare le catture – e allo stesso tempo vivevo un'altra vita, in cui ero un uomo innamorato, facevo cose romantiche e assecondavo progetti assurdi per il futuro. Ero del tutto inconsapevole di quello che stavo facendo né mi rendevo conto di essermi avviato verso un precipizio».

«Quanto tempo è durata?»

Ancora una volta Roberto parve stupito per la domanda. Dovette riflettere per trovare la risposta. Quando la trovò, parve ancora più stupito.

«Sei mesi, forse poco più. Se non avessi pensato specificamente al tempo avrei detto che era durata molto di più.»

«Ha una percezione dilatata di quel tempo.»

«Sì, è proprio così. Mentre si avvicinava il momento in cui l'operazione sarebbe dovuta scattare, e io sarei dovuto sparire, facevo finta di niente, sperando che una soluzione magica avrebbe risolto tutto, senza che nessuno si facesse male.»

«Il padre di lei era uno di quelli che avreste dovuto arrestare?»

«Il padre di lei era uno dei più importanti. Non un semplice trafficante, ma uno che gestiva il denaro – quantitativi immensi – e controllava la politica. Uno che da un lato era in grado di far eleggere parlamentari e sindaci, e dall'altro teneva rapporti diretti con criminali sanguinari di tutto il mondo. Pensi che c'era un gruppo di poliziotti colombiani che finivano il loro orario di lavoro – quello regolare, in caserma – e prendevano servizio da lui, come bodyguard. Riuscire ad arrivargli vicino era stato difficilissimo, quella era l'operazione più importante della mia vita e io mi ero infilato in una relazione con sua figlia. Ogni volta che il pensiero mi attraversava la testa, mi dava una botta nelle gambe facendomele tremare. Io lo scacciavo, dicendomi che al momento opportuno avrei trovato il modo di sistemare le cose.»

«E poi il momento arrivò.»

«E poi il momento arrivò» ripeté Roberto. «Avevamo organizzato un trasporto via mare. Una nave letteralmente carica di cocaina. Tonnellate. Nei mesi precedenti, con il mio lavoro, quello di Phil, le intercettazioni nei vari Paesi – in Italia soprattutto – avevamo acquisito elementi di prova per mandare in galera centinaia di persone. Il mio compito era terminato e dovevo ripartire per l'Italia. Ovviamente quello che sapevano tutti loro, a cominciare da José – il padre di Estela –, era che andavo in Italia per seguire le fasi finali di quel trasporto di cocaina. Che poi era vero, ma non nel senso che intendevano loro. Avevo detto che una volta terminata l'operazione, nel giro di qualche settimana, sarei tornato in Colombia. Invece dovevo rientrare in Italia perché con l'arrivo a destinazione del carico sarebbero scattati arresti e sequestri in mezzo mondo. L'ultimo posto in cui avrei dovuto trovarmi, a quel punto, era Bogotá.»

«Il signor... José sapeva di lei e sua figlia?»

«Credo di sì, anche se la cosa non è mai stata esplicita. In ogni caso noi non ci nascondevamo. Penso che José non sapesse che atteggiamento assumere rispetto alla cosa. Io gli piacevo, gli ero simpatico e si fidava di me. D'altro canto sapeva che facevo il trafficante di droga come lui e l'idea che sua figlia stesse con uno che faceva il suo stesso lavoro non gli stava bene. Tipico dei criminali che si stanno trasformando in uomini d'affari. Comunque non fece mai nulla per ostacolarci, lei... noi godevamo della massima libertà. È stato il periodo più folle e felice della mia vita.»

Roberto fece una serie di respiri prolungati.

«Mancavano pochi giorni alla mia partenza quando Estela mi disse di aspettare un bambino. Voleva tenerlo. Io ero in trance. Dissi di sì, che anch'io lo volevo. Lei mi abbracciò e mi strinse ed era così felice – era pazza di felicità per quel bambino – che mi sentii spaccare il cuore. Non è solo un'immagine: mentre mi teneva stretto sentii proprio un dolore fisico in mezzo al petto. Così forte da pensare che mi stesse venendo un infarto. La notte non dormii nemmeno un minuto. Mi sembrava di essere soffocato dall'angoscia, anzi *mi sembrava* non è l'espressione esatta. *Ero* soffocato dall'angoscia. E poi all'angoscia si mescolò il panico.»

Roberto si dondolò avanti e indietro sulla sedia, con un'oscillazione che sembrava non controllare. Prese le sigarette e ne accese una. Il dottore ne chiese una anche per sé.

«I giorni che passarono fra la notizia della gravidanza e la mia partenza furono un incubo. Quando qualche anno fa mia madre è morta ho provato un'enorme tristezza. Quando mio padre fu arrestato e poi morì fu terribile. Ma non c'è niente che io possa paragonare a quello che ho vissuto allora. Non riuscivo a mangiare, non riuscivo a dormire, dovevo stare attento a non mettermi a piangere in pubblico. A volte mi scoprivo a ripetere ossessivamente un gesto o un movimento – che ne so, girare attorno a una poltrona o spostare un oggetto su un tavolo – come certi animali allo zoo, che impazziscono in gabbia. Sa qual era la cosa peggiore di tutte?»

«Quale?»

«Parlare con Phil, l'agente DEA. Lui era contento che tutto stesse per finire e che ce ne potessimo andare via di là. Io ero disperato e dovevo fingere di essere contento e sollevato come lui. Con Estela invece dovevo fingere di essere felice del futuro che ci aspettava, del fatto che ci saremmo sposati, e chissà se era un maschio o una femmina, e che lo avremmo chiamato con un nome italiano perché a lei piaceva l'italiano e saremmo vissuti in Italia che era il Paese più bello del mondo...»

Il dottore spense la sigaretta, schiacciandola nel posacenere con più forza del necessario.

«C'è stato un momento in cui ha pensato di dirle come stavano le cose?»

«Sì. Pensai di dirle la verità e chiederle di scappare con me, ma era un'idea del tutto folle. Come poteva venire via con me mentre io mandavo suo padre in galera, per farcelo rimanere forse tutta la vita. Allora pensai di far saltare l'operazione, mollare l'Arma e tutto il resto, rimanere con Estela in Colombia. Ci pensai seriamente – o forse mi piace *credere* di averci pensato seriamente – ma non avevo abbastanza coraggio per fare una cosa del genere. Così il giorno convenuto passai a salutare José, lo abbracciai e gli dissi che ci saremmo rivisti entro un mese. Poi andai da Estela e lei, baciandomi, disse che le sarei mancato da morire, che avrebbe contato i minuti in attesa del mio ritorno e che incontrarmi era stata la cosa più bella di tutta la sua vita. Io risposi che per me era stato lo stesso, e stavo dicendo la verità.»

Roberto aveva parlato a testa bassa, con gli occhi puntati sul legno della scrivania. Arrivato a quel punto alzò lo sguardo e i suoi occhi incontrarono quelli del dottore.

«Sono partito e non l'ho rivista mai più.»

Fu come dopo un rumore assordante, quando si fa improvvisamente silenzio.

Roberto si prese una mano con l'altra, oscillò in avanti per qualche secondo e poi rimase immobile a guardare nel vuoto. Il dolore fluiva. E certo, era dolore, ma meno insopportabile di quella roba rimasta rinchiusa per tanto tempo. Durò parecchio.

«*Over the Rainbow*. Era il nome in codice.»

«Scusi?»

«*Over the Rainbow*, era il nome in codice dell'operazione.»

«Come la canzone.»

«Come la canzone, sì.»

L'operazione era scattata, con arresti in tutto il mondo, sequestri di società, di soldi, di droga, di auto, di navi. Una delle operazioni più importanti nella storia della lotta al narcotraffico.

Era stato arrestato anche il padre di Estela, naturalmente. I colleghi non si erano spiegati come mai Roberto si fosse disinteressato dell'esecuzione delle misure cautelari. Sembrava apatico, anche dopo tre settimane di licenza e la notizia che era stato proposto per l'encomio solenne. Riprese a lavorare ma non sembrava più la stessa persona, ai colleghi e ai superiori. I superiori si resero conto, quasi subito, che non era il caso di affidargli nuovi incarichi delicati, per il momento. E dopo qualche mese tutti si resero conto che non era il caso di affidargli nessun incarico, per il momento. Qualcuno lo sorprese a parlare da solo, in ufficio. Qualcun altro lo incontrò, sempre da solo, vestito con abiti strapazzati – lui che era sempre stato così attento al suo aspetto –, gli occhi lucidi per l'alcol, le occhiaie arrossate, la barba lunga, le spalle curve, una sigaretta sempre appesa all'angolo della bocca.

E poi quel giovane collega lo trovò in ufficio, con la canna della pistola infilata in bocca, l'espressione vuota di chi è già dall'altra parte.

Gli avevano chiesto di consegnare la pistola e lo avevano messo in congedo per ragioni di salute. Un'espressione neutra per dire che era diventato matto, inidoneo al servizio, pericoloso per se stesso e per gli altri.

«Erano passati forse una decina di mesi quando trovai il coraggio di chiamare un collega della polizia nazionale colombiana. Uno con cui ero diventato quasi amico. Avevo pensato di girarci attorno e lasciare cadere la domanda come se fosse una curiosità casuale. Mi resi conto che non avevo voglia di fare giochetti. Pensasse pure quello che voleva, gli chiesi informazioni su Estela. Gli domandai se suo padre fosse ancora dentro, se lei fosse stata coinvolta in qualche modo negli sviluppi dell'indagine, e se vivesse ancora a Bogotá. Gli chiesi di farmi sapere tutto quello che poteva.»

«E lui?»

«Non fece commenti e nemmeno mi domandò perché volessi quelle informazioni. Disse solo che gli servivano due o tre giorni. Fu puntuale, il terzo giorno mi chiamò e mi comunicò quello che era riuscito a sapere: Estela viveva ancora a Bogotá, nella casa paterna, e non era coinvolta in nessun modo nell'indagine. Andava regolarmente a trovare il padre in carcere. Prima di dirmi l'ultima cosa indugiò per qualche secondo e in quel momento ebbi la certezza che sapesse tutto, di me e di lei.»

«Cosa le disse?»

«Notizie che aveva avuto da un suo informatore. Mi disse che un paio di mesi dopo gli arresti Estela era stata ricoverata in una clinica privata dove l'avevano fatta abortire. Clandestinamente, perché in Colombia l'aborto è illegale. Mio figlio era quel bambino.»

Il racconto di Roberto si troncò, come una strada che finisce all'improvviso, nel nulla.

L'orologio a muro segnava le due passate. Il dottore si alzò per aprire la finestra e lasciare che il fumo si dissolvesse. L'aria era mite e le macchine passavano rare. Il fruscio della notte portava un tenue, precoce, profumo di tiglio.

«È ora di andare a dormire» disse il dottore tornando verso la scrivania ma senza sedersi. Roberto si alzò e gli parve che i muscoli delle gambe avessero un'elasticità dimenticata.

«Cosa... cosa succede adesso?»

Il dottore sorrise. Aveva gli occhi socchiusi e l'aria stanca però.

«Aveva mai raccontato questa storia?»

«Mai, e nemmeno credevo che ne sarei mai stato capace.»

«Ecco, non credeva ne sarebbe stato capace e invece lo è stato. Il resto verrà.» E dopo un momento soggiunse: «Comunque ci vediamo lunedì, se lo desidera. Se invece sente il bisogno di una pausa va bene lo stesso. Non deve dirmelo ora».

Arrivarono sulla porta, Roberto non si decideva a uscire.

«Pensa a quel bambino come se fosse nato, vero?»

«Sì. Ci penso come se fosse nato, come se fosse un maschio e come se fosse cresciuto. Me lo immagino come un ragazzino...»

«Passerà. Ci vorrà del tempo e un po' di pazienza ma passerà.»

Roberto annuì e il dottore rispose con gesto identico.

«Abbiamo seguito una procedura poco ortodossa. Brandy, cioccolato e seduta notturna. Magari ci scrivo una comunicazione per il prossimo congresso. Magari mi sono inventato un nuovo protocollo.»

Giacomo

Ero nel parco insieme a Scott, ma non so come e quando ci ero arrivato.

Davanti a noi, di spalle, a qualche metro, c'era Ginevra.

L'ho chiamata ma lei non si è mossa.

L'ho chiamata di nuovo e allora lei ha cominciato a camminare, veloce come nell'altro sogno. Mi sono lanciato di nuovo al suo inseguimento e questa volta sono riuscito a starle dietro, anche se non riuscivo ad avvicinarmi: per quanto mi sforzassi la distanza fra noi rimaneva sempre uguale. Scott mi ha seguito senza dire niente, ma sentivo che era preoccupato.

A un certo punto lei è arrivata davanti a una porta che sembrava essersi materializzata dal niente, lì, in mezzo al prato, con tanto di stipiti, architrave e maniglia. Ginevra con mia grandissima sorpresa ha aperto, è entrata ed è scomparsa, come se dietro la porta ci fosse stata una casa o una stanza o comunque un edificio.

Invece c'era solo prato. Ci ho girato attorno due o tre volte e non c'era dubbio.

«Cos'è questa porta, Scott?»

Lascia stare, capo. Andiamocene.

«Che vuol dire *andiamocene*? Dov'è finita Ginevra?»

Scott si è seduto e ha sospirato. Sembrava preoccupato.

Ginevra è nella sua camera, dorme. E adesso andiamocene.

«Io vado dall'altra parte, lei ha bisogno del mio aiuto.»

Io non lo farei, capo.

«Io vado.»

Non ho aspettato la sua risposta e nemmeno l'ho guardato. Ho aperto, sono entrato, ho richiuso la porta e mi sono ritrovato in una stanza buia. Nell'aria c'era un leggero profumo e ci ho messo un po' per capire che era proprio quello di Ginevra. Quando i miei occhi si sono abituati all'oscurità, ho cominciato a distinguere quello che c'era nella stanza. Una scrivania con un computer, quaderni, penne, giornali; un mobile con un'anta semiaperta; scaffali con pupazzi, qualche libro, una radio, un piccolo televisore; un manifesto di Justin Bieber – che per me è un vero buffone ma alle ragazze piace moltissimo – appeso in modo sbilenco.

E poi il letto, dove Ginevra dormiva profondamente, anche se era entrata lì dentro solo pochi secondi prima.

Mi sono avvicinato. Aveva il respiro un po' irregolare, stava abbracciata al cuscino ed era bellissima. A un certo punto l'ho vista stringere le labbra, come chi sta per mettersi a piangere e cerca di trattenersi.

«Aiuto...» ha bisbigliato.

«Che succede?» ho chiesto io, ma non mi ha sentito. Dormiva.

«Per piacere, aiutami...»

«Io *voglio* aiutarti. Ma devi dirmi che succede.»

Non mi ha sentito e dopo qualche secondo ha cominciato a piangere nel sonno.

Questa cosa mi ha fatto impazzire. Ho pensato che dovevo svegliarla e dirle di non piangere, che c'ero io a proteggerla e che doveva solo dirmi cosa stava succedendo e io avrei risolto ogni problema. Così le ho messo una mano sulla spalla e in quel preciso istante ho sentito come una scossa elettrica che dalla mano si è diffusa per tutto il corpo. Ho avuto una visione spaventosa – diavoli a decine che mi saltavano addosso tutti insieme con un rumore nauseante – e poi mi sono svegliato di soprassalto, come se qualcuno mi avesse scaraventato da una parte all'altra.

***

Non mi era mai successo di svegliarmi così, da quando vado nel parco.

Mi sono alzato pieno di brutti presentimenti e non è stata una bella giornata, dopo questo sogno e questo risveglio. A scuola sono stato più distratto del solito e la professoressa di matematica si è parecchio arrabbiata. Ha detto che sembra che io non sia in classe ma sempre da qualche altra parte.

Anche Ginevra – come sempre da quando è rientrata – era completamente distratta. Ho pensato che eravamo due estranei per quella classe; per ragioni diverse eravamo del tutto fuori posto.

All'uscita da scuola l'ho seguita. L'ho vista che se ne andava via veloce, quasi scappava. Allora ho corso sull'altro lato della strada, l'ho superata di una cinquantina di metri, ho attraversato e sono tornato indietro come se quella fosse la mia direzione.

Non lo so cosa volevo fare. Forse volevo fermarla, e parlarle, e chiederle cosa c'era che non andava, e offrirle il mio aiuto.

Quando ci siamo incontrati però lei non mi ha nemmeno guardato – non mi ha nemmeno *visto* – ed è passata via.

Ventiquattro

Roberto si incamminò e i ricordi dell'infanzia all'improvviso si accalcarono. Alcuni erano ambientati nella semioscurità accogliente della sua casa da bambino; altri nella luce del sole, e nella schiuma abbagliante delle onde.

I ricordi nelle stanze del passato erano pieni di piccoli rumori e di un mormorio continuo e benevolo: la porta della sua camera, che si apriva e si chiudeva con uno scricchiolio familiare e rassicurante; sua madre che parlava in inglese al telefono, con l'accento italiano di cui andava fiera; l'acqua che scorreva nel bagno; le voci della televisione quando lui era già a letto la sera; il passo soffice e leggermente strascicato di sua madre, la mattina presto.

I ricordi nella luce e nel mare invece erano muti. Vento teso, grandi onde con creste luccicanti, tavole che correvano, corpi sbalzati dalla potenza dell'acqua. Tutto senza rumori e senza voci.

Camminando avvolto da questo sciame di ricordi Roberto mise il piede in una pozzanghera e si sporcò la scarpa. Allora prese a parlare. A voce bassa, un sussurro, ma così articolato e preciso che se qualcuno gli fosse stato abbastanza vicino avrebbe potuto sentire distintamente quello che diceva.

«Ti ricordi lo sgabuzzino dove teniamo le scarpe e tutto quello che serve per pulirle? Ho sette, otto anni e sono seduto per terra in quello stanzino. Sono lì per lucidare le scarpe di mio padre. È un lavoro che faccio ogni settimana, lucidare le scarpe di mio padre. Ci sono delle regole da rispettare quando si lucidano le scarpe. Per prima cosa bisogna togliere la polvere, per evitare che si impasti con la crema e ne venga fuori una schifezza. Per togliere la polvere c'è una spazzola grande, marrone chiaro con le setole dure. Quando hai tolto tutta la polvere puoi passare al lucido. Devi metterne un poco e poi distribuirlo con una seconda spazzola – questa è nera, più piccola e ha le setole morbide – fino a quando non si è tutto assorbito ed è penetrato anche nelle cuciture. Adesso la scarpa è pronta per l'operazione più importante, cioè la vera e propria lucidatura. Questa va fatta con un panno morbido ed è la più piacevole, perché la scarpa che era opaca diventa lucida e si trasforma sotto i tuoi occhi.»

Un ricordo accogliente, come quando ti metti a letto con le lenzuola pulite e profumate; hai tanto sonno e sai che in due minuti ti addormenterai e ti godi quel breve, delizioso spazio di tempo in cui puoi rannicchiarti, e abbracciare il cuscino, e immaginare cose piacevoli, sentendoti sicuro, protetto.

Roberto pensò che aveva voglia di fumare un'altra

sigaretta. Domani avrebbe smesso, o forse dopodomani. O forse no. Comunque voleva fumarsela in pace quella sigaretta, seduto, godendosi la notte fresca di fine aprile.

Senza sapere come ci fosse arrivato, si accorse che stava attraversando i giardini fra via Flaminia e viale Tiziano. Scelse una panchina nella semioscurità, a qualche decina di metri dal chiosco di fiori che resta aperto tutta la notte. Si sedette, accese la sigaretta, la fumò e poi ricominciò a parlare.

«Te lo ricordi il soggiorno di casa? Fuori è ancora buio ma il cielo sta cominciando a schiarirsi. Sono seduto sul divano, pronto a uscire, e aspetto mio padre che sta finendo di preparare il borsone, o forse sta facendo qualcos'altro, non lo so. Nell'aria c'è l'odore del suo dopobarba. Fra poco usciremo e andremo al mare. Oggi sono previste onde molto belle. La porta è socchiusa e da fuori spira un vento leggero che gonfia le tende nella penombra. Non so perché ma sono quelle tende mosse dal vento che mi fanno venire le lacrime agli occhi. Poi quell'immagine sparisce e al suo posto compare il luccichio del mare al sorgere del sole. Le grandi onde viste da lontano danno l'impressione che il mare respiri. Noi siamo lì un po' in alto, con le nostre tavole, con la muta già addosso e il vento ci porta il profumo della salsedine, e fra poco scenderemo sulla spiaggia, ed entreremo in acqua.»

«Signore?»

E poi ancora, con una nota di impazienza: «Signore, va tutto bene?».

Roberto alzò lo sguardo verso quella voce. La prima cosa che vide fu il fregio della fiamma sul cappello, e sotto la striscia dei graduati. Sotto ancora c'era un appuntato sulla quarantina, la faccia piena di cicatrici di uno che da ragazzo non è stato risparmiato dall'acne, l'espressione tranquilla ma anche un po' circospetta di chi ha familiarità con gli abitanti della notte e sa come trattarli; e proprio per questo sa che a volte – non spesso ma a volte, e non sai mai quando potrà succedere – riservano brutte sorprese. Dietro di lui, a qualche metro di distanza, in piedi vicino alla macchina, un carabiniere molto più giovane.

«Grazie, sì, va tutto bene.»

«Ha i documenti con sé?»

«Sì.»

«Le dispiacerebbe mostrarmeli?»

«No, non mi dispiacerebbe.»

Prese il portafogli e stava per mostrare il tesserino ma all'ultimo cambiò idea. Tirò fuori la patente e la consegnò al graduato.

«Mi aspetti qui.»

«Volentieri, non ho fretta» disse. Provava una bizzarra sensazione, come di conforto per essersi risvegliato con quella divisa da carabiniere davanti. Gli piaceva essere lì, sottoposto a un controllo, in quella notte di primavera, in attesa che il mattino cominciasse a farsi strada. Si sentiva lucido, padrone della situazione. Sveglio.

L'appuntato si allontanò con la patente, arrivò alla macchina e ci entrò.

Stanno interrogando il computer per sapere chi sono, si disse. Magari potrebbero dirlo anche a me, quando lo scoprono. Magari glielo chiedo. Il pensiero gli mise addosso una specie di allegria. Ridacchiò, immaginando la reazione dell'appuntato a una domanda del genere. Non sembrava un tipo dotato di senso dell'umorismo.

Qualche minuto dopo quello uscì dalla macchina e ritornò da Roberto, che intanto aveva acceso un'altra sigaretta.

«Tenga la sua patente, signore. Sa che ore sono?»

«Saranno le tre?»

«Sono quasi le quattro. Perché se ne sta ai giardini pubblici a quest'ora, così lontano da casa sua? Le è successo qualcosa?»

Se mi è successo qualcosa? Certo che mi è successo qualcosa. Mi sono successe parecchie cose, ma non credo sia il caso di raccontarle a te.

«No appuntato, grazie. Non mi è successo nulla. Semplicemente non riuscivo a prendere sonno e allora sono uscito a fare una passeggiata e a fumarmi un paio di sigarette. Adesso me ne torno a casa. A piedi. Le lunghe passeggiate mi rilassano.» E poi, dopo aver calcolato l'orario di fine turno della pattuglia aggiunse: «Voi ne avete ancora per un paio d'ore, eh?».

Si alzò dalla panchina, salutò il carabiniere che lo guardava sorpreso e si incamminò verso casa.

Giacomo

Ieri all'intervallo ho incontrato Davide Morandi, mio compagno di scuola delle elementari, che adesso va in seconda C, mentre la mia sezione è la D. Lui è uno anche simpatico, però fissato col sesso: una volta, in quinta elementare, si fece beccare da una maestra mentre sfogliava un giornaletto porno sotto il banco. Poco prima mi aveva fatto dare un'occhiata, di sfuggita, e io avevo pensato che non mi era mai capitato di vedere niente di così schifoso.

Mi ha chiesto se avevo sentito parlare di certi video girati con i telefonini nei bagni di una discoteca e ha detto che se si pagava era possibile farsi fare una sega o anche cose più spinte, da alcune ragazze della scuola. Bisognava rivolgersi a certi tizi di liceo che prendevano i soldi e procuravano le ragazze. Ha detto che forse, in quella storia era coinvolta anche una della mia classe.

Non ho voluto sentire altro. Ho detto che non ne sapevo niente, che mi sembrava tutto un mucchio di cazzate e che comunque dovevo rientrare in aula.

Per il resto della mattina però le parole di Morandi mi sono rimbombate in testa mentre si faceva strada un sospetto a cui non avevo nemmeno il coraggio di pensare.

Oggi ho provato a chiedere un po' in giro. I ragazzi non avevano idea di cosa parlassi e comunque – pensavano senza dirlo – non sembravo proprio il tipo da fare domande del genere.

Poi finalmente ho trovato uno di terza media che sapeva qualcosa. L'anno prima le nostre classi avevano fatto una gita scolastica insieme e noi eravamo diventati quasi amici perché siamo tutti e due appassionati di fantasy.

Questo tizio mi ha detto che era meglio non ficcarmi in certe situazioni. C'erano di mezzo dei tizi più grandi di noi, dei veri delinquenti, sembrava che le ragazze fossero costrette a fare quello che facevano, che i tizi le ricattassero con dei video porno girati di nascosto, che circolasse anche la droga. Insomma, meglio stare alla larga.

Ho detto che non immaginavo che le cose stessero così e che, grazie per l'avvertimento, avrei lasciato perdere senz'altro, allora ciao, adesso rientro in classe. Ah, a proposito, giusto per curiosità, ma sapeva per caso se in quella storia era coinvolta una della mia classe? Ah, si diceva di quella bionda, molto carina? Come si chiamava? Ginevra, forse? Ecco sì, proprio quella. Ciao, ciao.

Le ultime ore in classe sono state un incubo. Ginevra era seduta al suo banco, con la stessa espressione assente che ha da quando è ritornata a scuola. Io la guardavo e poi mi venivano in mente le immagini schifose di quel giornale porno sbirciato due anni prima e poi pensavo che ero innamorato di lei e dunque *dovevo* trovare il modo di aiutarla.

Alla fine ho deciso: le avrei parlato all'uscita, le avrei chiesto cosa c'era che non andava e le avrei offerto il mio aiuto, anche se naturalmente non avevo idea di quale potesse essere, questo aiuto.

La campanella dell'ultima ora ha suonato, io avevo già preparato lo zaino, sono uscito per primo e ho aspettato che lei arrivasse. L'ho affiancata e le ho camminato vicino lungo il corridoio, come fosse una cosa casuale. Lei non si è accorta di me fino a quando non ho trovato il coraggio di chiamarla con il suo nome. Era la prima volta.

«Ginevra...»

Si è voltata continuando a camminare e mi ha guardato come se non mi conoscesse.

«Ginevra... io... insomma volevo dirti che se... per qualsiasi problema hai bisogno di aiuto, insomma io ci sono, devi solo dirmelo.»

Mi sono sentito un idiota nel momento stesso in cui dicevo quelle frasi sconnesse. Lei mi ha guardato ancora un attimo, ma in realtà non mi stava davvero guardando, e poi se n'è andata senza rispondere niente.

Sono tornato a casa in preda a un nervosismo pazzesco chiedendomi che cosa potevo fare e ho continuato a chiedermelo per tutto il pomeriggio. Mi sono venute in mente alcune idee – parlare con i professori, andare alla polizia, bloccare Ginevra e costringerla a dirmi cosa stava succedendo – ma le ho scartate tutte perché mi sono sembrate totalmente irrealizzabili.

Mi sono detto che se ci fosse stato ancora mio padre avrei potuto parlarne a lui e pensando a mio padre mi sono reso conto dell'unica cosa che potevo fare davvero.

Una cosa ovvia. La più ovvia di tutte.

Avrei dovuto pensarci subito, lo so, ma per un ragazzo non è facile parlare di certi argomenti con sua madre.

Venticinque

Il telefono squillò quattro o cinque volte prima che Roberto riuscisse a ritrovarlo in cucina, fra la caffettiera, le tazzine sbeccate e un pacco di biscotti semivuoto.

«Pronto?»

«Roberto?»

«Emma.»

«Ciao, tutto bene? Scusa ma hai una voce...»

«Forse un po' di affanno, stavo facendo ginnastica...»

«Non so, non ti avevo riconosciuto. La tua voce sembra... diversa. Ma poi che dico? Ti ho sentito al telefono solo una volta, nemmeno me la ricordavo la tua voce.» E poi, dopo un momento: «Certo, se avessi dovuto aspettare te per alimentare la mia autostima malridotta, stavo fresca».

«In che senso?»

«Sono chiaramente in declino. Anzi, l'incontro con te è la certificazione del mio declino. In passato un uomo con cui avessi passato una lunga serata come la nostra mi avrebbe chiamato la mattina dopo, al più tardi. Ammesso che non mi avesse chiesto con insistenza di salire a vedere il suo appartamento. Invece è passata una settimana, ma da te nessun segno di vita. Sono una ex bella ragazza, ormai è ufficiale.»

Roberto non sapeva cosa rispondere. Naturalmente aveva pensato di chiamarla molte volte e non c'era mai riuscito. Aveva provato a chiedersi il perché e non aveva trovato una buona risposta. Dopo la notte allo studio del dottore tutto sembrava sospeso.

«Per fortuna ho trovato un motivo per telefonarti io. Puoi ascoltarmi qualche minuto?» La sua voce si era fatta più seria.

«Sì, certo.»

«Giacomo, mio figlio, mi ha fatto una domanda insolita.»

D'un tratto parve esitare, come se l'avesse presa un dubbio su cosa dire e, forse, sulla stessa opportunità di quella telefonata. Così passarono diversi secondi. Alla fine fu Roberto a rompere il silenzio.

«Vai avanti.»

«Mi ha chiesto se conoscevo un poliziotto.»

«Perché voleva saperlo?»

«Mi ha detto che vorrebbe parlare a un poliziotto perché deve dirgli una cosa.»

«E cioè?»

«Mi ha solo accennato. Dice che una ragazzina della sua classe ha dei problemi molto seri e che è una questione di cui dovrebbe occuparsi la polizia.»

«Ti ha detto che tipo di problemi?»

Emma sospirò.

«Giacomo non è un ragazzino facile. Te l'ho detto, parlarci o farlo parlare è complicato. Le cose che mi ha detto però sembrano preoccupanti, se sono vere.»

Nuova pausa. Silenzio. Si poteva sentire il respiro, dall'altra parte della linea.

«Senti, non è che avresti una mezz'ora? Potremmo vederci, ti racconterei di persona e poi, magari, potresti parlare con Giacomo. Parlando con lui ti potresti rendere conto se è una questione seria o no.»

Se ho mezz'ora? Ho tutto il tempo del mondo, altro che mezz'ora. Sono mesi e mesi che ho tutto il tempo del mondo e ne avrò ancora di più se mi buttano fuori dall'Arma. Pensò testualmente quelle cose, ma non le disse. Eppure per la prima volta ebbe paura al pensiero di essere congedato in modo definitivo. Per tanto tempo aveva pensato che non gliene importava niente; l'idea di abbandonare la divisa lo lasciava indifferente. Adesso la sola possibilità lo sgomentò.

«Ce l'ho, mezz'ora. Dove vuoi che ci vediamo?»

***

Stavolta lei fu puntuale, anzi in anticipo, perché quando Roberto arrivò, alle tre in punto, lei era già lì, seduta allo stesso tavolino dell'altra volta.

Quando lo vide Emma si alzò e quando lui la raggiunse lo baciò sulle guance. Forse fu l'abbraccio, forse furono i due baci – baci con le labbra sulle guance, non nel modo più convenzionale, con una guancia appoggiata all'altra –, forse fu chissà cos'altro, ma a Roberto sembrò di arrossire e sentì una leggera scarica di elettricità attraversargli il corpo. Subito dopo provò imbarazzo, irritato con se stesso per la sua goffaggine.

«Grazie di essere venuto» disse lei.

Di nulla, è stato un piacere, stava per rispondere lui. Però si trattenne e gli parve di aver fatto bene. Era come se stesse cercando di reimparare a comportarsi, pensò.

«Dimmi di Giacomo.»

«Sì. Allora, in verità non so bene da dove cominciare. Forse è solo una fantasia di ragazzi e te ne parlo perché voglio essere rassicurata.»

«Non ti preoccupare. Raccontami e cerchiamo di capire insieme di che si tratta.»

Arrivò la cameriera e prese le ordinazioni. Roberto si sentiva bene, all'erta, vivo.

«Ieri sera Giacomo mi ha chiesto se conoscessi qualche poliziotto. Io gli ho chiesto perché e lui ha risposto che c'è una ragazza della sua scuola in pericolo. C'è qualcuno che le sta facendo del male e io non so come fare per aiutarla, ha detto.»

«Che tipo di pericolo?»

«Sembra... sembrerebbe che dei coetanei, o forse dei ragazzi più grandi, la costringano ad avere rapporti sessuali.»

«Qual è la sua fonte?»

Si rese conto di aver parlato come in una riunione operativa.

«Voglio dire: come lo ha saputo?»

«Dice di avere raccolto delle voci a scuola.»

«Ma lui ci ha parlato con questa ragazza? Lei si è confidata, gli ha detto qualcosa?»

«Questo è il problema.»

«Perché?»

«Dice che lei gli ha chiesto aiuto, ma...»

«Ma?»

«Dice che gli ha chiesto aiuto in sogno.»

«Scusa?»

«Esattamente così: la ragazza gli ha chiesto aiuto in un sogno. Ma c'era un tale tono di verità nel suo racconto che ho pensato di dover fare qualcosa. Allora mi sono detta che un poliziotto, cioè un carabiniere lo conoscevo, che due chiacchiere non costano niente e che sarei stata più tranquilla se avessi sentito l'opinione di un... insomma di uno come te. Avevo anche pensato di chiedere un consiglio al dottore – spesso abbiamo parlato di Giacomo, con lui – ma poi ho pensato che era meglio chiamare te.»

Roberto lasciò passare qualche minuto, cercando di mettere a fuoco. Senza riuscirci.

«Hai detto che vanno nella stessa classe?»

«Sì.»

«E Giacomo non ha provato a parlarle?»

Emma fece no con la testa e si strinse nelle spalle, allargando le braccia.

«Va bene» disse alla fine, «fammi parlare con il ragazzo e vediamo cosa ne viene fuori.»

«Se vuoi possiamo andare a casa adesso.»

«Andiamo.»

Ventisei

La prima cosa che colpì Roberto fu il profumo. Non era bravo a dare il nome agli odori – chi lo è? – ma c'era qualcosa di asciutto e pulito nell'aria che si respirava in quella casa.

Entrarono in un soggiorno con un tavolo, un grande televisore, una libreria, fiori freschi in un vaso lungo di plastica colorata e trasparente, un bel divano di cuoio vecchio, stampe e foto in bianco e nero alle pareti. Roberto provò il desiderio fortissimo di appartenere a quello che aveva attorno, di esservi ammesso, e allo stesso tempo fu assalito da una dolorosa percezione di inferiorità e di esclusione irrevocabile.

«Giacomo è nella sua stanza. Adesso vado a chiamarlo.»

Rimasto solo, Roberto si scoprì a fare gesti che non gli erano consueti: esaminava i libri sugli scaffali. Qualche settimana prima nemmeno li avrebbe notati. Adesso lo incuriosivano. Ne tirò fuori uno, lo osservò con circospezione, come si trattasse di un oggetto con il quale doveva ancora familiarizzare e poi lo mise a posto; fece la stessa cosa con un altro e poi con un altro ancora. Ne aveva in mano uno il cui titolo aveva attirato la sua attenzione – *Cuore di tenebra* – quando Emma rientrò nella stanza. Dietro di lei c'era un ragazzino magro, con gli occhi scuri.

Nella testa di Roberto riprese forma l'apparizione di Estela, seduta sul letto, con il bambino invisibile nel buio.

Durò qualche secondo, come un dolore improvviso e lancinante.

«Lui è Giacomo» disse Emma, «e lui è Roberto.»

Roberto tese la mano al ragazzino e si sentì restituire una stretta sorprendentemente ferma.

«Roberto è un carabiniere.»

Rimasero tutti e tre senza dire nulla, fino a quando Roberto non ruppe il silenzio.

«Hai detto che Giacomo voleva parlarmi. Magari ci riesce meglio se rimaniamo da soli per qualche minuto. Se non ti dispiace.»

Emma si guardò attorno interdetta. Cercò una battuta ma non la trovò. Allora alzò le spalle, disse di chiamarla quando avessero finito e se ne andò.

Roberto guardò il ragazzo e quello sostenne lo sguardo.

«Ci sediamo?»

Si sedettero, tutti e due sul divano. Roberto sentì le crepe del cuoio sotto le mani e si stupì a pensare come tutti i suoi sensi – il tatto, in quel momento – stessero riprendendo vita.

«Secondo me non sei un tipo da preamboli» disse Roberto.

«Lei è un carabiniere?»

Appunto.

«Sì, sono un maresciallo dei carabinieri.»

«Cosa fa, esattamente?»

«Sono un investigatore, mi occupo di criminalità organizzata.» Inutile fornire troppe precisazioni, del tipo che *un tempo* si occupava di criminalità organizzata e che questo non sarebbe accaduto mai più.

La risposta comunque non parve impressionare il ragazzino.

«Come conosce mia madre?»

«Una volta la sua macchina era rimasta in panne, l'ho vista, mi sono fermato e l'ho aiutata a ripartire. Poi è capitato di incontrarci di nuovo. Abbiamo un po' chiacchierato un paio di volte. Oggi mi ha chiamato e mi ha detto che tu avevi chiesto di parlare con un poliziotto o un carabiniere. Credo di essere l'unico che lei conosca a fare quel tipo di mestiere e allora si è rivolta a me.»

Il ragazzino si grattò la testa: aveva esaurito i preliminari e non sapeva come andare avanti.

«Da quello che mi ha detto tua madre, sei a conoscenza di un problema di una compagna di scuola.»

«Sì.»

«Vuoi raccontarmi di che si tratta?»

Giacomo raccontò la sua storia, e lo fece in modo asciutto, preciso, con il tono di un ufficiale di polizia che stia riferendo del contenuto di un'indagine. A scuola circolava una voce su un giro di pornografia e di prostituzione. Pareva che a gestire e sfruttare la cosa ci fosse un gruppo di ragazzi più grandi, forse di liceo. C'erano ragazze costrette ad avere rapporti sessuali e farsi filmare, e fra loro c'era una sua compagna di classe – Giacomo ne disse nome e cognome – che aveva un disperato bisogno di aiuto.

«Chi ti ha raccontato queste cose?»

«Gente della scuola, ma i nomi non li so» disse sfiorandosi il viso in uno dei gesti di chi non sta dicendo tutta la verità. Niente di grave, pensò Roberto. Il ragazzo stava proteggendo le sue fonti. Come ogni sbirro che si rispetti.

«Con la ragazza – Ginevra hai detto che si chiama? – hai provato a parlarci?»

«Ho provato.»

«E lei cosa ti ha detto?»

«Niente.»

«E allora come fai a dire con certezza che è coinvolta nel giro e che ha bisogno di aiuto?»

Giacomo esitò prima di rispondere.

«Lo so che la cosa le sembrerà assurda, ma ho fatto un sogno. In questo sogno Ginevra chiedeva aiuto ed era disperata.»

Invece, anche se non lo disse, Roberto non riuscì a trovare assurda la cosa e anzi, senza nemmeno accorgersene, cominciò a ragionare da carabiniere e a riflettere su quello che avrebbe potuto fare. Perché forse – sogno o non sogno – qualche verifica andava fatta su quelle voci. Quando ci sono storie che circolano insistentemente la spiegazione più probabile è che contengano almeno una parte di verità. Tutte le migliori indagini nascono da voci che circolano, più o meno insistentemente.

Pensò che sarebbe potuto andare davanti alla scuola, farsi indicare da Giacomo la bambina, darle un'occhiata, vedere dove andava e poi, in base a cosa fosse emerso – *se* qualcosa fosse emerso – regolarsi a orecchio. Improvvisare. Come aveva fatto sempre. Con tutto il tempo libero che aveva, cosa gli costava? Nel peggiore dei casi non ne sarebbe venuto fuori niente.

«Va bene, Giacomo. Proverò a fare qualche verifica, però mi serve il tuo aiuto.»

«Cosa devo fare?»

«Domani a che ora esci da scuola?»

«All'una.»

«Domani all'una mi faccio trovare davanti alla tua scuola. Quando uscite, cerca di stare accanto a questa ragazza in modo che io capisca chi è. Quando mi vedi, assicurati che io abbia capito chi è la ragazza – ti farò un cenno – e poi vai pure a casa. Per il resto me la vedo io. Ah, naturalmente non parlare a nessuno di questo nostro colloquio. D'accordo?»

Giacomo disse va bene e poi rimase a guardarlo, come se ci fosse ancora qualcosa in sospeso.

«C'è qualcos'altro che vuoi dirmi?»

«Sì.»

«Dimmi.»

«Grazie.»

«Perché mi ringrazi?»

«Per avermi ascoltato e per non avermi trattato come un bambino.»

Roberto fece un cenno col capo che sembrava un inchino, un gesto di rispetto.

«Direi che adesso dovremmo chiamare tua madre. Ci vediamo domani, davanti a scuola, all'una. Va bene?»

«Va bene.»

Chiamarono Emma. Quando rientrò non disse niente, ma la sua faccia era piena di domande.

Ventisette

Un'ora dopo Roberto era dal dottore. Sembravano passati mesi dall'ultima volta.

«Non so di cosa parlare, oggi.»

«Non parli di niente, allora.»

«Mi sento... non saprei dire come.»

«Forse un po' a disagio?»

«Sì, forse.»

«È una situazione nuova, è normale che lei si senta così.»

«Dipende da quello che le ho detto la volta scorsa?»

«Dipende da parecchie cose e, anche, da quello che ci siamo detti la volta scorsa. Nel complesso è stata una seduta un po' atipica.»

Roberto si passò le mani sul viso.

«Ha detto che è una situazione nuova, vero?»

«Sì.»

«Sa una cosa?»

«Quale?»

«Ho l'impressione che d'un tratto le parole – voglio dire, parole normali, che conoscevo perfettamente, come *situazione* – abbiano un significato più chiaro, più preciso.»

«È il mondo che ricomincia a prendere senso. E nel caso non fosse chiaro: è una buona notizia.»

«Vuol dire che sto meglio?»

«Vuol dire che sta meglio, direi di sì. Nei prossimi giorni cominciamo a ridurre le dosi dei farmaci.»

«Mi dispiace per quello che mi ha detto la volta scorsa... per suo figlio.»

Il dottore accennò un sorriso.

«Non dovrei dirlo perché è fuori da ogni regola, ma averne parlato con lei mi ha fatto bene.»

***

Sulla porta il dottore gli strinse la mano e disse che era contento per come andavano le cose.

«Ho conosciuto una sua paziente» disse Roberto.

«Lo so.»

«Immaginavo che l'avesse capito.»

«Mi sembra una buona cosa.»

Roberto rimase a guardarlo.

«Una buona cosa» ripeté il dottore, prima di salutarlo sorridendo e di rientrare nello studio.

***

La mattina dopo si svegliò di umore mutevole: un misto di allegria e leggera angoscia. Fece un po' di ginnastica, si infilò sotto la doccia e poi si vestì facendo attenzione a quello che si metteva, cercando di concentrarsi sui singoli movimenti. Cominciare dai pantaloni, prima una gamba poi l'altra mantenendosi in equilibrio senza cercare punti di appoggio; prendere una camicia che aveva stirato nel fine settimana, compiacersi qualche secondo perché la stiratura era ben fatta, infilare prima un braccio e poi l'altro; sedersi sul bordo del letto e passare alle calze, dopo aver fatto attenzione che fossero uguali e non avessero buchi; provare le scarpe nuove comprate qualche giorno prima; mettere la cintura e accorgersi che poteva stringerla a un foro che non aveva mai utilizzato; indossare la giacca, con un'occhiata finale allo specchio.

Era assurdo, pensò, ma gli era piaciuto vestirsi. Forse perché l'aveva fatto con attenzione? Con cura? Aprì il portafogli, ne estrasse il tesserino e lo osservò come se non l'avesse mai visto prima. Ovviamente la questione era la foto. Non era troppo vecchia in effetti, ma sembrava di un altro. Chi era quel tipo in divisa, senza barba, senza solchi profondi sulla fronte e con lo sguardo spavaldo di chi non ha paura di niente? In quale momento era scomparso per lasciare il posto all'altro? Dov'era, adesso? Perché da qualche parte doveva essere, magari in un mondo parallelo di cui bisognava solo trovare la porta, pensò Roberto, ricavando da questo pensiero assurdo un conforto irragionevole e benefico.

Uscì con l'allegria e l'angoscia che mulinavano, strette l'una all'altra, e andò a fare colazione nel bar dove si era incontrato le due volte con Emma. Prese un cappuccino e un cornetto, fumò una sola sigaretta, guardò la gente passare godendosi l'ozio, per la prima volta da un tempo incalcolabile.

La mattinata era luminosa ma non calda. Un giorno ideale di primavera, pensò Roberto mentre passeggiava tranquillo e vigile, guardandosi attorno, *vedendo* quello che gli stava attorno. Rimettendo in funzione lo sguardo.

Qualche minuto prima dell'una era davanti alla scuola.

***

Il ringhio rabbioso della campanella si diffuse anche sulla strada. Passarono forse una trentina di secondi sospesi, in cui sembrava che il suono non avesse prodotto alcun effetto e poi i ragazzi cominciarono a riversarsi fuori dall'edificio. Giacomo comparve quasi subito, camminando di fianco a una ragazzina bionda. Proseguì standole vicino fino a quando incrociò lo sguardo di Roberto. Allora si fermò con l'espressione vagamente sgomenta di chi ha terminato il suo compito e non ha nessuna possibilità di influire su quello che succederà dopo. Neppure se lo volesse. Un attimo prima sei indispensabile, subito dopo sei irrilevante. Roberto lo guardò intuendo quello che provava. Poi si voltò e si mise in movimento.

Ginevra camminava veloce e ogni tanto si lanciava uno sguardo alle spalle. Arrivò a una fermata dell'autobus e si confuse con la piccola folla in attesa. Roberto si avvicinò. Diversi autobus si fermarono e ripartirono. Poi ne arrivò uno su cui la ragazza salì e Roberto le andò dietro. Non aveva il biglietto. Se mi fermano mostro il tesserino, si disse. Sull'autobus Roberto osservò la ragazza. Graziosa, ma nulla di straordinario.

Ginevra scese dopo tre fermate, camminò ancora per qualche minuto, giunse a un palazzo signorile, ne aprì il portone con le chiavi e scomparve all'interno.

Roberto controllò i citofoni, per assicurarsi che quella fosse l'abitazione della ragazza. Il cognome che gli aveva detto Giacomo c'era. Tanto per rispettare la grammatica del pedinamento, rimase comunque una mezz'ora in attesa sul marciapiede di fronte. In quella mezz'ora solo una signora anziana entrò nel palazzo e nessuno ne uscì. Erano circa le due quando Roberto decise che era ora di andare.

Ventotto

«Emma?»

«Roberto.»

«Ehm, tutto... tutto bene?»

«Bene, e tu?»

«Bene. Sono stato a scuola di Giacomo.»

«Sì, me lo ha detto. Hai... come dire, scoperto qualcosa?»

«Ho seguito la ragazza fino a casa ma non è successo niente.»

«Roberto?» Aveva abbassato la voce.

«Sì?»

«Ma cosa pensi di questa storia?»

Pausa dall'altra parte. Roberto non sapeva cosa pensare. Non ancora, almeno.

«Roberto, ci sei?»

«Non lo so. Domani torno davanti alla scuola e vediamo che succede. Se succede qualcosa.»

Emma rimase in silenzio, per un po'.

«Mi chiami, poi?»

«Certo, ti chiamo.»

Ancora silenzio. Gli stava chiedendo di chiamarla solo perché voleva essere informata su quello che succedeva? O c'era un altro motivo?

«Saluta Giacomo da parte mia. Digli che mi sto occupando della cosa.»

«Sarà contento. Gli sei piaciuto, non capita spesso.»

***

La mattinata seguente si svolse nello stesso modo, con lo stesso ritmo ambiguo, pigro e attivo insieme. Senza una ragione precisa Roberto aveva portato con sé un piccolo binocolo e una macchina fotografica. Era improbabile che servissero, però portarli non costava nulla, si era detto uscendo di casa con una vecchia borsa di stoffa militare a tracolla, sentendosi leggermente ridicolo.

Giacomo uscì dalla scuola quasi correndo e rallentò quando vide Roberto. Si scambiarono uno sguardo rapido. Poi il ragazzo si voltò e passò via.

Subito dopo uscì Ginevra e la sequenza fu identica a quella del giorno prima. Autobus, tragitto, discesa, pezzo a piedi, ingresso nel palazzo.

Roberto aspettò lì fuori per un po', mentre cominciava a sentirsi stupido. Che diavolo stava facendo? Cos'era quella ridicola indagine privata, da detective dilettante con la borsa a tracolla? Andò via, preso dalla preoccupazione improvvisa che qualcuno potesse notarlo e chiedergli conto della sua presenza.

Tornando a casa pensò che avrebbe fatto un ultimo

tentativo, e poi basta. Se non fosse successo niente, magari avrebbe riferito la cosa ai suoi colleghi, lasciando che se ne occupassero loro. Ammesso che ci fosse davvero qualcosa di cui occuparsi.

***

Il giorno dopo arrivò in leggero ritardo, appena in tempo per incrociare la ragazzina che usciva da scuola e si affrettava in direzione della fermata. Roberto a quel punto conosceva la destinazione e dunque si tenne più lontano in modo da avere una visione più ampia e – pensò – anche per evitare che qualcuno si accorgesse di lui, un uomo di mezza età dall'aspetto poco rassicurante, che seguiva una ragazzina di scuola media.

Il flusso dei ragazzini e degli adulti era il medesimo dei due giorni precedenti. A Roberto però parve di notare, nel movimento regolare delle persone, una discontinuità, un elemento fuori ritmo.

L'istinto dello sbirro va alla ricerca della nota dissonante e vede quello che agli altri sfugge: i piccoli oggetti mancanti o fuori posto, le posture leggermente scomposte, i gesti forzati, i lievi affanni, i rossori, gli sguardi che sfuggono o che indugiano troppo. Chi è in un posto e non dovrebbe esserci; chi va piano e dovrebbe andare veloce e chi va veloce e invece dovrebbe andare piano; chi si guarda attorno e chi sembra non guardare nulla; la loquacità eccessiva o il mutismo. Le regolarità alterate. Si concentra sui dettagli inusuali invece di farsi distrarre dall'apparente normalità del quadro d'insieme.

Per certi aspetti il bravo sbirro è come il bravo medico. In un caso come nell'altro è una questione di occhio, di particolari invisibili agli altri.

In quel flusso di gente – adulti, ma soprattutto ragazzi – c'era un elemento di irregolarità che Roberto percepì come fenomeno, come alterazione dell'insieme, prima ancora di riuscire a individuarne la causa.

La causa era un ragazzo sui quindici anni, dall'aspetto precocemente muscoloso, che procedeva veloce guardando avanti.

Camminava come se stesse seguendo qualcuno, si disse Roberto avvertendo di colpo il cuore che prendeva a battere più veloce e l'istinto della caccia che si risvegliava, intatto e primordiale.

Arrivarono alla fermata, proprio mentre l'autobus che la ragazza aveva preso nei due giorni precedenti stava partendo. Lei tentò di raggiungerlo ma non ci riuscì. Allora si mise un po' in disparte, vicino a un portone. Roberto si mantenne a distanza. Aveva perso di vista il ragazzotto muscoloso, lo individuò mentre arrivava anche lui vicino alla fermata e si guardava attorno. Poi un gruppo di africani si interpose e gli impedì di seguire la scena. Si avvicinò, e quando fu a una decina di metri vide il muscoloso di fianco a Ginevra. Poco più in là ce n'era un altro. Sembrava più grande di età ma aveva l'aria meno compatta e meno pericolosa del primo. Capi e gregari. Funziona sempre così, e l'età non c'entra quasi mai.

Il muscoloso parlava, la ragazza scuoteva debolmente la testa, come rassegnata. L'altro a un certo punto parve indicare qualcosa, Ginevra cercò di distogliere lo sguardo, il ragazzo le prese il mento fra le dita e la costrinse a guardare chissà dove. In quel momento arrivò un nuovo autobus. La ragazza fece un tentativo per raggiungerlo, ma quello glielo impedì tagliandole la strada.

Il secondo ragazzo sorvegliava la situazione. Quando vide che si voltava verso di lui, Roberto finse di osservare una vetrina, contò fino a cinque e poi si girò di nuovo. I tre si erano mossi, il capo camminava a fianco di Ginevra, l'altro indietro di qualche passo.

Roberto si mise in movimento, cercando di mantenere una distanza di sicurezza. Il muscoloso fece una telefonata, continuando a camminare. Non si voltavano a guardarsi le spalle ma ugualmente, a un certo punto, Roberto si tolse la giacca, si tirò la camicia fuori dai pantaloni e diventò un altro. Poco dopo i tre incrociarono un ragazzino magro, occhialuto, dall'aria scialba. Si unì alla formazione senza dire niente.

Il pedinamento durò sette, otto minuti, fino a quando arrivarono a un portone. Il capo aveva le chiavi, aprì e tutti scomparvero all'interno richiudendosi il portone alle spalle.

Per prima cosa doveva entrare subito anche lui, si disse Roberto. Gli altri problemi li avrebbe risolti quando si fossero presentati. Sul portone c'era la targa di uno studio legale. Roberto citofonò a quello studio. Rispose una voce femminile, carica di accento, nasale e scortese.

«Carabinieri. Apra, dobbiamo effettuare una notifica.»

Ci fu solo una breve pausa di esitazione, poi la serratura ronzò come un calabrone e il portone si aprì. Roberto corse all'ascensore: la luce rossa era ancora accesa e la macchina ancora in movimento. Si fermò al quinto piano, l'ultimo del palazzo.

Roberto pensò che aspettare l'ascensore gli avrebbe fatto perdere troppo tempo. Salì a piedi di corsa, due gradini alla volta, e quando arrivò anche lui al quinto piano il cuore gli pulsava come un pistone. Sul pianerottolo c'erano due porte e su nessuna delle due comparivano nomi o targhe. Cercando di controllare l'affanno suonò il campanello alla sua sinistra. Quando avessero aperto – a seconda di *chi* avesse aperto – avrebbe deciso cosa fare.

Passò forse un minuto; Roberto ebbe la netta sensazione che qualcuno guardasse dallo spioncino e poi sentì una voce di uomo anziano, un po' tremula.

«Chi è?»

«Carabinieri, signore. Ho bisogno di farle qualche domanda, può aprirmi per piacere?»

«Un carabiniere? E cosa vuole da me?»

«Ho solo necessità di farle un paio di domande. Le dispiacerebbe aprirmi?»

«E come faccio a sapere che lei è davvero un carabiniere e non un delinquente?»

«Le mostro il tesserino, signore. Riesce a vederlo attraverso lo spioncino?» disse Roberto cercando di controllare una nota di esasperazione nella sua voce.

«Vediamo» disse il vecchio con tono carico di sospetto.

Roberto mise la tessera all'altezza dello spioncino. Passarono ancora parecchi secondi, poi dall'interno si sentì un rumore di serrature e chiavistelli e infine la porta si aprì. Comparve un signore molto anziano, senza un capello e con una pelle insolitamente liscia e rosea.

La cosa più singolare dell'immagine che si presentò davanti a Roberto non fu però l'aspetto dell'uomo.

Fu il fatto che quello avesse in mano un grosso revolver.

«Non si preoccupi per questa. Se lei è davvero un carabiniere non serve a nulla. Se non lo è, e quel tesserino è falso, fa ancora in tempo ad andarsene. La foto non assomiglia molto alla sua faccia.»

«È carica, signore?» disse Roberto cercando di riprendersi dalla sorpresa.

«Certo che è carica, che domande. E se lei è un vero carabiniere, sappia che è un'arma regolarmente denunciata.»

«Non ne dubito signore. Il tesserino è autentico anche se la foto è di qualche anno fa, sono un po' cambiato. Le sarei molto grato se potesse abbassare la canna della sua pistola. Ho solo bisogno di sapere chi abita nell'appartamento a fianco.»

Il vecchio lo guardò con un'espressione stranamente sorpresa e soddisfatta. La canna della pistola si abbassò, il vecchio si scostò e fece cenno a Roberto di entrare.

«Finalmente ve ne siete accorti. Molte delle telefonate le ho fatte io. Ce n'è voluto ma finalmente ve ne siete accorti.»

Entrò in casa facendo un sorriso cauto. L'appartamento era buio e puzzava di naftalina. Roberto non aveva idea di cosa volesse dire il vecchio ma pensò fosse meglio non farglielo sapere.

«Funziona sempre così, signore. Purtroppo abbiamo tanto lavoro e facciamo fatica a stare dietro a tutto. Può dirmi chi abita in quell'appartamento?»

Il vecchio glielo spiegò. L'appartamento era di un avvocato che ci era andato ad abitare dopo la separazione dalla moglie. Poi si era trovato una nuova compagna e si era trasferito a casa di lei. Adesso quell'appartamento lo usava il figlio, che era un delinquente, con i suoi amici delinquenti come lui. Ci venivano spesso, a tutte le ore mettevano musica ad alto volume, gridavano, schiamazzavano, bevevano.

«Secondo me si drogano anche» concluse lapidariamente il vecchio.

Roberto colse l'occasione al volo.

«In effetti, signore, fonti confidenziali ci hanno riferito della presenza di ragazzi molto giovani che fanno uso di stupefacenti e forse li spacciano anche, in una abitazione di questo palazzo. Sono qui per verificare.»

«Ma fa un lavoro del genere da solo? Non dovreste essere un gruppo, o una pattuglia?»

Il vecchio era vecchio ma non rimbambito. A Roberto venne da ridere, ma cercò di rispondergli a tono.

«Certo signore, in effetti siamo in tre. I miei colleghi sono fuori, sulla strada, per intercettare eventuali fuggitivi e per raccogliere la droga che dovesse essere buttata dai balconi o dalle finestre. È un modo abituale di comportarsi degli spacciatori, quando facciamo irruzione:

si liberano della droga gettandola per strada. Adesso, signore, vorrei chiedere il suo aiuto per procedere.»

Quello parve convinto, si infilò il pistolone nella cintura dei pantaloni e poi guardò Roberto con espressione risoluta, in attesa. La sua faccia diceva che adesso era pronto a collaborare. Roberto pensò che era una delle situazioni più comiche di tutta la sua vita di sbirro.

«Mi dica.»

«Ha per caso un balcone, nell'interno, che confini con i balconi dell'altro appartamento?»

«Sì, certo.»

«Le dispiacerebbe mostrarmelo?»

«Ma cosa vuole fare?»

«Vorrei passare da un balcone all'altro per entrare lì dentro sfruttando il fattore sorpresa. Lei comprende che se busso alla porta c'è il rischio che si sbarazzino della droga, magari buttandola nel water.»

Fu una spiegazione persuasiva. Il vecchio disse a Roberto di seguirlo e lo condusse attraverso l'appartamento, con la puzza di naftalina che diventava sempre più forte fino ai balconi dell'interno. Erano confinanti e passare dall'uno all'altro sarebbe stato molto semplice, scavalcando la ringhiera. Non c'erano sbarre o persiane. E il vetro sembrava normale, niente roba antisfondamento. Si poteva spaccare facilmente.

Il vecchio voleva collaborare adesso, ma al tempo stesso manteneva un atteggiamento vigile. Era tutt'altro che rimbambito, pensò Roberto.

«Ma per fare una cosa del genere non le occorrerebbe un mandato del giudice?»

«Di regola sì, signore. Ma nei casi di emergenza – e questo è un caso di emergenza – la polizia giudiziaria ha facoltà di fare perquisizioni d'iniziativa. Lo prevede l'articolo 103 del Testo unico sugli stupefacenti. Naturalmente poi dobbiamo richiedere la convalida al magistrato.»

«Ma la pistola non ce l'ha?»

Ecco, ancora un'ottima domanda. Non ce l'ho perché me l'hanno ritirata. Mi hanno detto che sono quasi matto e per questo me l'hanno ritirata. No, non ce l'ho la pistola e con ogni probabilità, visto quello che sto per combinare, non ce l'avrò mai più.

«No signore, in certe irruzioni preferiamo non portarla per evitare il rischio di spari accidentali. In questo caso si tratta di minorenni, a quanto pare, e allora il nostro protocollo operativo non prevede l'uso delle armi da fuoco» mentì Roberto.

Protocollo operativo. Certo che la bravura a sparare cazzate non l'aveva persa.

Il vecchio gli disse di procedere, ma facendo attenzione perché poteva essere pericoloso.

Già, poteva essere pericoloso. Per qualche istante Roberto, che non aveva mai sofferto di vertigini in tutta la vita, fu preso da un principio di panico che – se ne rese subito conto – avrebbe potuto dilagare e paralizzarlo. Hai quarantasette anni, fu l'ultima cosa che si disse prima di scavalcare, di camminare aggrappato alla ringhiera per mezzo metro dal lato del vuoto, di scavalcare nuovamente atterrando sull'altro balcone con il cuore che sembrava volergli schizzare fuori dalla gola.

Guardò all'interno. In quella stanza non c'era nessuno. In casa c'era musica ad alto volume e il vetro vibrava sotto i colpi del rullante di qualche pezzo house.

Roberto appallottolò il giubbotto e lo usò per proteggere la mano. Vibrò un colpo solo, secco e quasi delicato. Il vetro si ruppe tutto intorno al centro del pugno, il minimo indispensabile, con pochissimo rumore che comunque fu coperto dal rimbombo della musica. Infilò la mano nel varco, aprì la finestra ed entrò senza pensare. Avrebbe deciso cosa dire e cosa fare regolandosi su quello che avrebbe trovato. Così percorse un corridoio, scuro, lungo e spoglio, facendosi guidare dal ritmo ossessivo della musica.

Ventinove

Quando entrò nella camera Roberto trovò quello che si era confusamente aspettato. La ragazza e il terzo arrivato erano sul letto. Gli altri due riprendevano con i telefonini, da diverse angolazioni, come girassero un film secondo una rudimentale ma precisa regia.

In realtà, quello che Roberto vide in quel preciso momento non avrebbe poi saputo raccontarlo con certezza. Nella sua memoria quelle immagini percepite si sarebbero mescolate con quelle viste poco dopo nei filmati, in una rivoltante, angosciosa, spietata meccanica di corpi acerbi.

«Carabinieri!» gridò per sovrastare il rimbombo della musica. Era la terza volta in pochi minuti, dopo tanto tempo.

«Poggiate a terra i telefonini. Tu scendi dal letto, mettetevi in ginocchio con la faccia al muro e le mani incrociate dietro la testa.»

Il muscoloso provò a fare il duro.

«Che cazzo vuoi? Chi sei? Questa è una casa privata, mio padre è avvocato ed è amico di...»

Roberto si avvicinò e gli diede un ceffone.

«Spegni questa musica del cazzo e poi mettiti in ginocchio con la faccia al muro e le mani incrociate dietro la testa. Voi fate lo stesso e non me lo fate ripetere un'altra volta altrimenti mi incazzo davvero.»

Il figlio dell'avvocato parve sul punto di dire qualcosa. Poi vide gli occhi di Roberto e ci ripensò. Buttò per terra il cellulare, spense l'impianto stereo alle sue spalle e poi si mise in ginocchio vicino alla parete. Quello che era sul letto si alzò, nudo dalla cintola in giù. Aveva la faccia imberbe e il sesso peloso di un uomo. Si infilò i pantaloni inciampando. Sembrava un bambino che sta per scoppiare a piangere e anche lui andò a mettersi in ginocchio faccia al muro. Il terzo era rimasto in piedi, fermo, quasi paralizzato, con l'espressione di uno che sta realizzando l'enormità della situazione in cui si è cacciato. Roberto lo guardò e gli fece un cenno col capo. Il gesto lo ridestò, consegnò il telefono e si inginocchiò insieme agli altri.

Il silenzio che aveva preso d'un tratto il posto di quella musica assordante rendeva la situazione ancora più irreale. La ragazzina era sul letto e stava cercando di rivestirsi. Il suo corpo era la misteriosa e struggente combinazione di due creature: una donna e una bambina. Roberto sentì una tempesta micidiale di sentimenti diversi. Rabbia, pena, senso di protezione, voglia di piangere, violenza che emergeva a fiotti e che bisognava governare. E orgoglio perduto. Quello di chi è arrivato tardi – si arriva sempre tardi – ma non *troppo* tardi. Rivide le facce di quelle ragazzine, tanti anni prima, in Messico, e pensò che stava saldando quel vecchio conto.

«Ti chiami Ginevra, vero?» le chiese quando lei fu abbastanza coperta da poter rispondere.

La ragazza non riuscì ad aprire bocca e lo guardò atterrita, come un animale in trappola.

«Finisci di vestirti, vai di là e aspettami.»

Obbedì. Uscì dalla stanza senza guardare niente e nessuno, gli occhi perduti in un nulla pieno di mostri che gli altri non potevano vedere.

Quello che poco prima era sul letto cominciò a singhiozzare.

«Non volevo fare niente di male. Scusatemi, non volevo fare niente di male. Lasciatemi andare, se mia madre sa questa cosa mi ammazza. Scusate, scusate. Mi hanno detto che era normale, che l'avevano già fatto tante volte. Lei era d'accordo, prendeva i soldi...»

«Stai zitto, coglione» disse il muscoloso, che era chiaramente il capo e un delinquente già formato.

«Stai zitto *tu*» lo interruppe Roberto, «non aprire più bocca. Se ti sento parlare senza la mia autorizzazione, ti stacco la testa. È chiaro?»

Era chiaro.

Roberto perquisì in fretta i ragazzini e nelle tasche del capo trovò altri due cellulari, parecchie centinaia di euro, uno sfollagente di gomma dura e due mazzi di chiavi.

«Non vi muovete e non parlate» disse uscendo dalla camera da letto nel corridoio, dove in piedi c'era Ginevra, pateticamente fuori posto come un infelice, piccolo spaventapasseri. Roberto la fece entrare in cucina, le disse di aspettarlo lì dentro, chiuse la porta di casa con le chiavi prese al capo, giusto nel caso che ai ragazzi venisse in mente di provare a scappare.

Diede un'occhiata ai filmati nei cellulari, gli venne la nausea e pensò che non ce n'era alcun bisogno.

Lasciò passare un minuto, pensando a quello che avrebbe dovuto dire e poi chiamò Carella.

«Roberto! Che piacere, finalmente per una volta mi chiami tu. Come stai?» disse con il tono affettuoso ma allo stesso tempo non del tutto autentico di chi parla con un amico malato, che va trattato con gentilezza e circospezione.

«Sto bene, grazie. Sei in servizio?»

«Certo, perché?»

«Allora dovresti prendere un paio di macchine e qualcuno dei tuoi e raggiungermi in fretta. Sono capitato su una piccola fogna.»

Dall'altro capo della comunicazione ci fu qualche secondo di silenzio. Roberto diede a Carella il tempo di abituarsi all'idea che quella era una conversazione di lavoro e che l'uomo al telefono, forse, era quello della vita precedente.

«Mi dai qualche dettaglio in più?»

«Violenza sessuale di gruppo, prostituzione minorile, sequestro di persona. Una storiaccia di ragazzini. Porta anche una collega, per prendersi cura della vittima.»

«Come ci sei capitato, su questa storia?»

«Facciamo che ti racconto tutto di persona? Meglio

che prendiate al più presto il controllo della situazione. Prima arrivate meglio è.»

Ancora una volta Roberto immaginò il lavorio mentale del collega e le molte domande che si stava ponendo. Lo lasciò fare. Alla fine Carella disse che, va bene, il tempo di radunare un po' di personale e sarebbe arrivato.

Il tono della sua voce era diverso, adesso.

Trenta

Provò a parlare con la ragazzina ma lei aveva una sola preoccupazione.

«Me ne posso andare adesso?»

«Certo, fra poco ti faccio accompagnare a casa.»

«No grazie, posso andarmene da sola.»

Quel *no grazie* gli diede una stretta. Roberto dovette fare uno sforzo per trattenere la commozione, e anche ogni domanda su quello che era successo e su come era cominciato, e perché. Quel tipo di domande erano lavoro per qualcun altro.

«Va bene, adesso vediamo come fare, devi solo avere un po' di pazienza.»

E poi, dopo una pausa: «Fra pochissimo potrai andare a casa, anche da sola, se preferisci» mentì Roberto, vergognandosene.

«Ma io devo andarmene subito, se faccio troppo tardi i miei genitori si preoccuperanno.»

«Adesso li avvertiamo, i tuoi genitori, stai tranquilla.»

Ma lei non era tranquilla. Per niente, perché a poco

a poco la situazione diventava più chiara nella sua testa: «Mica gli direte...» non trovava le parole.

«La prego, mi lasci andare a casa.»

Roberto avrebbe voluto abbracciarla, e dirle che non doveva preoccuparsi, che i suoi genitori avrebbero capito e l'avrebbero aiutata e che il mondo non era abitato solo da gente come quei tre, o quei due o tutti quelli – chissà quanti – che avevano maneggiato il suo corpo.

Solo che naturalmente non la poteva abbracciare e nemmeno avrebbe avuto il coraggio di darle garanzie su come era popolato il mondo, e su quello che avrebbero capito i suoi genitori e tutti gli altri.

«Non preoccuparti, non ci sarà nessun problema con i tuoi genitori. Fra pochissimo andrai a casa e tutto sarà finito.»

E poi, grazie al cielo, arrivò Carella con altri quattro carabinieri, tre uomini e una donna. Erano stati davvero veloci, ma a Roberto parve comunque che fosse trascorso un tempo interminabile. A parte Carella, gli altri erano giovani e c'era qualcosa nel loro modo di muoversi, di comportarsi, di occupare lo spazio, che diede a Roberto la sensazione netta di appartenere a un'altra epoca.

Da quel momento le cose si mossero molto più rapide.

Roberto spiegò quello che era successo. Disse quasi tutta la verità, mantenendosi vago solo sulla fonte delle sue informazioni. Alluse a un confidente all'interno della scuola e non diede ulteriori indicazioni. I colleghi erano professionisti – non si chiedono a uno sbirro informazioni sui suoi confidenti – e non fecero domande.

La giovane carabiniera prese in consegna Ginevra e la portò via. Sembrava sapesse come comportarsi e Roberto si sentì sollevato per questo.

Gli altri si occuparono dei ragazzi. Quello sorpreso sul letto con la bambina continuava a piangere; il secondo aveva una grossa macchia scura sui pantaloni e puzzava di urina; il capo era pallidissimo. Cercava di darsi un tono e di tenere un comportamento adeguato al suo ruolo, ma sembrava anche lui sul punto di crollare.

Carella avvertì il pubblico ministero del Tribunale dei minori. Disse di avere ricevuto una confidenza urgente e attendibilissima sulla presenza di un grosso quantitativo di stupefacenti all'interno di quell'appartamento; di aver proceduto alla perquisizione per la ricerca di droga – proprio in base alla norma che Roberto aveva citato al vecchio con il revolver – e di essersi imbattuto in una vicenda più grave di un banale caso di spaccio.

Quando finì di parlare al telefono con il magistrato, Carella si rivolse a Roberto.

«Allora, maresciallo Marías, sei tornato a casa, finalmente?»

Roberto si strinse nelle spalle, accennando un sorriso imbarazzato. Anche Carella sorrise.

«Vuoi firmare gli atti? Troviamo il modo di giustificare la tua presenza qua, ci inventiamo qualcosa. Poi magari è di buon augurio e quando rientri in servizio vieni a lavorare con noi.»

«No, non facciamo casini inutili. Io adesso me ne vado. Magari più tardi ci sentiamo e mi racconti gli sviluppi.»

Carella non insistette.

«Va bene, quando abbiamo finito ti telefono.»

***

Quando Carella chiamò, la sera tardi, aveva la voce stanca.

«Abbiamo finito adesso. La prossima volta che capiti su una faccenda del genere, per piacere, chiama la polizia.»

Poi gli raccontò com'era andata. Il magistrato, per fortuna, era un tipo sveglio e aveva subito ordinato le perquisizioni a casa dei ragazzi. L'esito era stato quello che ci si poteva aspettare: video e foto porno, hashish, un sacco di soldi, una vera e propria rudimentale contabilità con nomi dei clienti – tutti fra i tredici e i sedici anni –, somme versate, prestazioni ricevute. I tre ragazzi erano stati interrogati quello stesso pomeriggio e avevano confessato tutto, o almeno quello che bastava per ricostruire il modus operandi della banda e farne identificare gli altri appartenenti. Le ragazzine venivano avvicinate in discoteca o in feste private, gli approcci sessuali – a volte consensuali, a volte no – venivano filmati e poi i video erano utilizzati come strumento di ricatto, per costringerle a prostituirsi.

«Come sta la ragazza?»

«Così e così. I genitori la tolgono da quella scuola, questo è chiaro, ma ci vorrà del tempo perché si riprenda. Alcuni dei video che abbiamo trovato fanno vomitare.»

«Vai a dormire, hai una voce tremenda.»

«Adesso vado. Ah, ovviamente non c'è traccia del tuo nome, negli atti. In quell'appartamento tu non ci sei mai entrato.»

Trentuno

Il portone si aprì subito e quando Roberto arrivò a casa di Emma lei lo stava aspettando nell'ingresso. Era passato un giorno.

«Entra, Giacomo è ancora dai nonni» disse con un'espressione in cui si mescolavano inquietudine e una nota di sorpresa ammirazione. «Hai voglia di un caffè?»

Presero il caffè in cucina e Roberto le raccontò tutto quello che per telefono le aveva solo accennato. Alla fine Emma si alzò, aprì la finestra, prese un posacenere e chiese una sigaretta. Dopo avergliela data, anche Roberto se ne accese una. Lo fece con movimenti lenti, quasi volesse essere consapevole di ogni singolo passaggio per imprimerselo bene nella memoria.

«Mi sa che da domani smetto.»

Emma lo guardò come se non avesse sentito.

«Come faceva Giacomo a sapere cosa stava succedendo?»

Roberto spense la sigaretta spezzandola e si sistemò sulla sedia.

«In che senso?»

«Come faceva a sapere? Dimmi che Giacomo non c'entra niente con questa storia.»

Roberto la guardò stupito. Non aveva capito subito la ragione della domanda. «Ma che dici? Certo che non c'entra niente. Ne abbiamo già parlato, la voce su questa storia circolava a scuola e lui l'ha sentita, come altri. Magari nei bagni, magari qualcuno si è vantato o una delle ragazzine si è confidata.»

E poi aggiunse: «Magari è stata proprio Ginevra a confidarsi o a sfogarsi. Chi lo sa? A questo punto non è importante, comunque. L'importante è che tutto si sia... risolto. Diciamo».

«E perché ha raccontato quella storia del sogno, se non aveva nulla da nascondere?»

«Perché forse ha veramente sognato la ragazza che chiedeva aiuto. Attraverso il sogno il suo inconscio gli ha detto che doveva *fare* qualcosa. Perché non chiedi al dottore cosa ne pensa?»

Lei lo guardò a lungo negli occhi. «L'ho già fatto. Gli ho telefonato prima che tu arrivassi» disse infine.

«E cosa ha detto?»

«Le stesse cose che hai detto tu.»

Roberto cercò di ostentare noncuranza ma non ci riuscì.

«Come hai fatto a trovare il posto? Come hai fatto ad arrivare lì proprio in quel momento?»

«Bah, un po' di mestiere, un po' di fortuna.»

«Fortuna? Cazzate, la fortuna non esiste e tu sei uno strano uomo, signor sbirro. Ci sono un sacco di cose che dovresti dirmi, lasciando perdere la fortuna.»

Ti sbagli, esiste eccome la fortuna, pensò Roberto. E anche la sfortuna, se è per questo.

In quel momento arrivò Giacomo. Roberto si alzò per stringergli la mano. Emma li guardò entrambi, disse che andava a fare una doccia e scomparve.

«Lo sai cosa è successo, vero?»

Il ragazzo fece di sì con la testa, guardando Roberto diritto negli occhi, proprio come sua madre qualche minuto prima.

«C'è chi si prenderà cura di lei, adesso. Certamente cambierà scuola. Ci vorrà del tempo ma si riprenderà.»

In realtà Roberto non lo sapeva se la bambina si sarebbe ripresa. Nessuno lo sa, in questi casi. Ma gli sembrava che Giacomo avesse il diritto di sentirsi dire quelle cose.

«Sei stato tu a salvarla» aggiunse poi.

Giacomo continuò a guardarlo e Roberto si rese conto dell'incredibile malinconia di quegli occhi, così simili a quelli della madre.

«Sono molto triste» disse Giacomo.

«Perché?»

«Perché non la vedrò mai più.»

Roberto si sforzò di deglutire. Poi, senza nemmeno rendersi conto di quello che stava facendo, si avvicinò a Giacomo e lo strinse in un rapido abbraccio.

«Magari ci si vede» disse, dopo qualche istante, quando si furono separati.

«Mi piacerebbe» rispose semplicemente il ragazzo. Poi si alzò e andò via, lasciando quelle ultime parole sospese nell'aria e Roberto seduto da solo nella cucina, con l'imbrunire che si faceva strada.

Giacomo

Per almeno due ore ho ascoltato la raccolta che avevo preparato per Ginevra e che non le darò mai più. Finiva e la facevo ripartire e poi ancora e ancora e mi sembrava che tutte le parole e tutte le note delle canzoni avessero un significato speciale creato apposta per me.

È strano come la stessa cosa – ascoltare della musica – possa allo stesso tempo piacerti tanto e farti stare così male.

Sono passati pochi giorni dall'ultima volta che ho scritto questo diario e sembra che siano passati degli anni.

Anche dopo aver preso la decisione non è stato facile parlare con mia madre, per un sacco di ragioni. Fra le altre: ero quasi sicuro che non mi avrebbe preso sul serio.

Non è andata così. Mi ha dato ascolto – per davvero, senza quell'atteggiamento insopportabile che a volte hanno gli adulti – e, insomma, non mi ha trattato come un bambino.

È stata una sorpresa, e una cosa mi ha lasciato proprio sbalordito: quando le ho chiesto di farmi parlare con un poliziotto lei non ha fatto obiezioni e mi ha detto che avrebbe cercato di farmi incontrare un suo amico carabiniere. Mi ha stupito che avesse un amico carabiniere ma, certo, le ho detto di sì, e il giorno dopo lei lo ha portato a casa.

Era diverso da come mi immaginavo un carabiniere. Non so spiegarmi bene, ma lui mi è stato subito simpatico. Sembrava uno con cui vorresti fare amicizia anche se lui è un uomo di più di quarant'anni e tu sei un ragazzo di quasi dodici.

Lo so che sto dicendo una cosa assurda ma in qualche modo Roberto – si chiama così – mi ha ricordato Scott.

Roberto deve essere uno davvero in gamba nel suo lavoro perché in soli tre giorni ha scoperto cosa stava succedendo a Ginevra e ha arrestato tre tizi, un ripetente della mia scuola e due più grandi che andavano al liceo.

Dico *andavano* perché adesso credo che dovranno frequentare la scuola del carcere minorile. Anche se, a dire il vero, non so come funzionano queste cose e magari invece escono presto e possono tornare in una scuola normale.

Anche Ginevra cambierà scuola e credo che non la rivedrò mai più.

L'idea di entrare in classe tutti i giorni e non vederla mi fa traboccare il cuore di tristezza. Questa della tristezza che trabocca è una frase che ho sentito in una canzone e non trovo un modo migliore per dire come mi sento.

Sono parecchie notti che non vedo Scott e ormai ho capito che non lo sognerò più.

Allora ho pensato che se lui è stato creato dalla mia fantasia, proprio alla mia fantasia potevo chiedere di farmelo incontrare un'ultima volta per dirgli addio. Anche senza dormire.

Così ho abbassato la tapparella, mi sono steso sul letto, ho chiuso gli occhi e mi sono concentrato con tutte le mie forze.

Dopo un poco ci sono riuscito e Scott è comparso. Era lì seduto, composto e serio, al lato del mio letto.

«Ciao, Scott, è bello averti qui.»

Sono felice anch'io di vederti, capo.

«Ci stiamo dicendo addio, è vero?»

Temo di sì, capo.

«Perché? Perché non possiamo continuare a vederci nel parco, almeno una volta ogni tanto?»

Non hai più bisogno di me, capo. Il mio compito è finito.

Questa frase mi ha fatto arrabbiare. Volevo dirgli che era una delle cose più stupide che avessi mai sentito. Chissenefrega del compito. Non potevamo continuare a vederci solo per il piacere di stare insieme, di correre nel parco, di nuotare in quel lago con l'acqua turchese? Perché tutto deve avere una ragione e una fine?

Non ho detto così.

«Non ti vedrò mai più e non vedrò mai più Ginevra.

Sono così triste» ho detto invece, tirando su col naso, cercando di non mettermi a piangere.

Hai fatto quello che bisognava fare, capo. Sono orgoglioso di te e anche tuo padre lo sarebbe.

Ho tirato di nuovo su col naso, ma quella frase mi aveva dato i brividi e mi aveva fatto sentire meglio.

«Quando avrò un altro cane lo chiamerò come te, lo sai vero?»

Mi sono sentito leccare la mano, ma lui non ha detto niente.

«Scott, mi hai sentito?»

Non mi ha risposto.

Allora ho aperto gli occhi e ho visto che era andato via per sempre.

Trentadue

L'auto procedeva lentamente, per non superare il punto mal segnalato in cui avrebbero dovuto svoltare per raggiungere la spiaggia. Il cielo si stava schiarendo e dai finestrini abbassati entrava una brezza asciutta, che penetrava sotto gli abiti leggeri e dava i brividi. Più tardi avrebbe fatto sicuramente caldo ma a quell'ora l'aria era ancora fresca e nitida. Era il momento perfetto che precede l'arrivo di certi giorni d'estate.

Emma guidava e Roberto guardava la strada. Percepiva i mutamenti dentro e fuori di sé, li registrava, li lasciava scorrere. Come gli aveva insegnato il dottore. Immagini del passato – o forse, a volte, della fantasia – si susseguivano, passavano e sparivano. Ogni tanto arrivava una vampata di paura ma passava presto, trasformandosi in una sorta di formicolio dell'anima.

Si erano mossi da Roma molto presto, per essere al mare prima del sorgere del sole. Le previsioni dicevano mareggiata. Santa Marinella non è Dana Point ma quel giorno ci sarebbero state onde molto grandi. Onde eccezionali per il Tirreno e per il mese di luglio.

Insieme alle onde era previsto un afflusso straordinario di surfisti, e dunque arrivare molto presto era indispensabile per non trovarsi su una spiaggia affollata e un mare impraticabile.

Parcheggiarono in uno spiazzo dove c'era già qualche auto. Roberto ebbe la sensazione che le forze lo abbandonassero del tutto. Gli parve di muoversi a fatica, con lentezza, quasi al rallentatore. Scese dall'auto e rimase lì, fermo, senza sapere cosa fare.

«Pensi di andare in acqua così, vestito?» disse Emma. La voce era un misto di ironia e di apprensione. Forse si stava chiedendo se era stata una buona idea. Quell'uomo era salito su un surf l'ultima volta più di trent'anni prima. Chi lo diceva che sarebbe stato di nuovo capace? Volse lo sguardo verso il mare. Era una distesa di schiuma illuminata dalla luce pallida e uniforme dell'aurora.

Senza dire niente Roberto rientrò in macchina per cambiarsi. Ne uscì con il costume, una vecchia maglietta, vecchie scarpe da tennis blu e bianche. Prese la tavola dal portapacchi, la mise sotto il braccio e guardò Emma.

«Roberto, se non te la senti...» La sfumatura di ironia era scomparsa.

«Andiamo» disse lui, e si incamminarono verso il mare.

Sulla spiaggia si intravedevano alcuni ragazzi e alcune tavole, in piedi, piantate nella sabbia. Nessuno sembrava ancora entrato in acqua. Il maestrale spirava, non troppo forte, asciutto e pieno di pericolose promesse.

Non ce la farai, si disse Roberto mentre scendevano in spiaggia e quella sensazione di fiacchezza non lo abbandonava.

Non ce la farai, non c'è dubbio. Sei vecchio e hai dimenticato. Quanti anni avevi l'ultima volta? E qual è stata l'ultima volta? Nemmeno riesci a ricordarla. Chissà se è mai esistita quell'epoca. Non è lontana, è solo in un altro mondo. Saresti capace di dire come fai a distinguere i ricordi dai sogni? Quelle onde che ricordi sono silenziose, proprio come i sogni. Allora forse non sono vere.

Non ce la farai.

Com'era quella frase che gli aveva detto il dottore? Un conto è aspettare l'onda, un conto è alzarsi sulla tavola quando arriva. Appunto.

Emma gli camminava dietro. Per un istante lunghissimo Roberto pensò – *credette* veramente – che fosse sua madre ed ebbe l'impressione di trovarsi in un altro posto e in un'altra vita che poteva essere e non era stata.

Il vento portava di nuovo il profumo della salsedine. Lo stesso di tanti anni prima. Si tolse le scarpe. I piedi affondarono nella sabbia fresca. Sentì sulla faccia, sul corpo, sulla tavola, gli occhi dei ragazzi che avevano già occupato la spiaggia. Sguardi prima di ostilità, poi, dopo averlo visto bene – un vecchio –, carichi di scherno.

Uno dei ragazzi si alzò e mosse qualche passo verso di lui. Forse voleva dirgli qualcosa. Forse voleva dirgli che quella spiaggia, almeno a quell'ora, era di loro proprietà. Era il loro posto, non il suo. Forse non voleva dirgli niente e si era alzato solo per sgranchirsi le gambe. Certo è che gli occhi del ragazzo e quelli di Roberto si incrociarono proprio mentre il sole sorgeva; e il ragazzo distolse lo sguardo e decise di tornare indietro e di lasciar perdere, qualunque cosa avesse pensato di fare.

Tornò a sedersi sulla sabbia, vicino alle tavole, scambiando battute imbarazzate con gli amici, ridendo un po' più forte del necessario, che si sentisse.

Ma Roberto non lo sentì. Si fermò solo qualche secondo ad ascoltare il ruggito delle onde. Il sole sorgeva alle sue spalle e proiettò la sua ombra lunghissima sulla spiaggia, fino all'acqua e giù nel mare.

In quel momento, mentre guardava la sua ombra che si mischiava alla schiuma, gli venne in mente una cosa che aveva letto anni prima.

All'inizio degli anni Novanta una nave mercantile che trasportava un carico di giocattoli da Hong Kong agli Stati Uniti si trovò nel mezzo di una terribile tempesta. Per effetto delle onde altissime una dozzina di container finirono in acqua e si ruppero, liberando nell'oceano decine di migliaia di papere gialle di plastica, quelle che si danno ai bambini piccoli per farli giocare quando fanno il bagno. Era – sembrava – un banale incidente di navigazione, da archiviare insieme alla pratica della compagnia assicurativa.

Le papere non furono d'accordo. Si sparsero per gli oceani, lasciandosi spingere allegramente dal vento, dalle onde, dalle correnti; lasciandosi recuperare sulle spiagge di tutto il pianeta e consentendo agli oceanografi di capire molte cose sul funzionamento degli oceani e delle correnti.

L'immagine delle paperelle intrepide e sorridenti

sulla cresta di onde gigantesche nell'oceano in tempesta mise a Roberto un'assurda e incredibile e invincibile allegria. Pensò alla corrente che lo aveva depositato su quella spiaggia dopo un lungo viaggio nella burrasca; e pensò che aveva una sola cosa da fare, arrivato a quel punto. Una sola.

Fu allora che entrò in acqua.

Erano belle onde, pensò remando con le mani ai lati della tavola. Per essere così lontani da qualsiasi oceano non erano male. Almeno un metro e mezzo, forse anche qualcosa di più. Si lasciò scivolare sulla prima, senza nemmeno cercare di alzarsi. Provava una quieta sensazione di ineluttabilità. Quella per cui si può indugiare senza più ansia o paura o preoccupazione.

Si lasciò scivolare anche sulla seconda e poi vide che se ne stava formando una più grande, alta più di due metri. Quella per cui era arrivato fin lì.

Irrigidì le braccia e i pettorali sulla parte anteriore della tavola, spinse sulla parte posteriore la punta delle dita dei piedi e rimase così, fermo. Come se tutto, intorno, fosse diventato immobile ed eterno.

Poi l'eternità finì.

Distese le braccia, contrasse gli addominali, fece scattare le gambe. Probabilmente le ginocchia gli fecero male ma lui non se ne accorse. Si alzò in piedi e la tavola partì.

Se avesse già letto allora i libri che avrebbe letto poi, Roberto avrebbe saputo descrivere la sensazione che provò, correndo di nuovo sull'onda, come se non avesse mai smesso, nemmeno un solo giorno.

Avrebbe potuto dire che era un'ebbrezza che taglia-va tutto da parte a parte: il tempo, lo spazio, la tristez-za e il bene e il male, e l'amore e il dolore e la gioia e la colpa. E il perdono – anche quello più difficile, che chiediamo a noi stessi. E il cerchio della vita, e le storie dei padri e dei figli, e della loro disperata ricerca gli uni degli altri.

Finito di stampare nell'agosto 2016 presso
Elcograf S.p.A. - stabilimento di Cles (TN)
Printed in Italy

IL SILENZIO D
ELL'ONDA

CAROFIGLIO GI

BUR
RIZZOLI LIBRI

Rizzoli
L I B R I

ISBN 978-88-17-08925-8